文春新書
198

漢字と日本人

高島俊男

文藝春秋

漢字と日本人

高島俊男

文春新書
198

漢字と日本人　目次

第一章　漢字がやってきた

1　カテーの問題

数年前、中学生がおさない子どもをつづけざまに殺害した事件があった。それから一年くらいのち、この中学生がかよっていた学校の校長先生が、ある雑誌にこの事件のことを書いていて、なかにたいへんおもしろいところがあった。——いや、そのおもしろいところというのは、事件とはなにも関係がありません。日本語の問題として、おもしろいところがあった。

ある新聞記者からその中学生に関して何かの質問をされて、校長先生が「それは假定の問題でしょう」と答えた。それが、「校長は家庭の問題だと語った」と報ぜられて、校長先生は誤解をうけ、迷惑をこうむった、というのである。

のっけから恐縮ですが、ちょっと横道にそれますね。右に「假定」と書きました。これは、いま一般には「仮定」と書いていることばです。

わたくしは、本を書いたり雑誌に発表する文章を書いたりする際、もちいる漢字は、原則として戦後の当用漢字略字体にしたがっている。戦後略字がいいと思ってしたがっているわけではない。あれはとりかえしのつかない愚挙であったと思っているのであるが、なにしろ社会一般がすっかりそれになってしまったから、やむなくしたがっている。しかし、どうにも承服できないいくつかの字はしたがわない。「假定」の「假」もその一つです。

なぜしたがわないのか。それを申さねばこんどはみなさまが承服してくださらぬであろうから、横道がながくなるけど、ひととおり申しておきましょう。

「反」という字形をふくむ字は、「反」自体のほか、板、坂、版、飯、叛、返などが一グループをなしていて、みなハンという音を持っている（「返」もほんとうはハンなのです。なぜか日本へ来てからヘンに変化しちゃった。こういう、どういうわけかわからないが日本で音がかわって通行しているのを「慣用音」と言っています。でも「返魂香《はんごんこう》」とか「返魂草《はんごんそう》」とかだけは本来のハンの音をたもってますね）。

いっぽう「假」のほうは、この「假」をはじめとして、暇、霞、瑕、葭などがグループで、みなカという音を持っている。このなかの「假」だけを「仮」にして、「板」や「坂」や「飯」のグループの一員のような形にすることは甚だ不都合なのです。みなさんはもうです。

「仮」になれきっているからそう変だと思わないかもしれないが、もし「休暇」が「休昄」ということになったら、これは変だと思うでしょう？　だったら「仮」だって変なのです。そういうふうに、戦後略字を客観的に見る、ということをみなさんがおぼえてくださったら、わたくしとしてはたいへんありがたい。くどくど説明したかいがあった、というものです。

なお、手書きの字ではむかしから「仮」と書く人はいくらもあった。それはいいのです。たとえば文章を書く人が原稿に「仮定」と書いておく。「假」という字は書くのにちょっと手間がかかりますからね。「仮」の字を書いておく。そうすると印刷屋さんがちゃんと「假定」と活字をひろってくれる。そりゃそうだ。むかしは「仮」なんて活字はないんだからね。だから原稿を書く人は安心して、テキトウに略字を書いておく、ということがいくらもありました。「權利」を「权利」と書いとくとか、「裁判」を「才判」と書いとくとか、「日曜日」を「日旺日」と書いとくとか、「聞く」を「闻く」と書いとくとかね。「仮」もそうした略字の一つだったのです。それを、「仮」と書いている人が多い、ってんで正式字体にしちゃった戦後の「国語改革」というのはほんとうに愚挙でした（このことはまたあとでも申します）。

おなじ音のことばがいっぱい

さあ、横道の話がながすぎて本筋はなんであったかおわすれになったんじゃないかと思う。はい、校長先生は「それは假定の問題でしょう」と言ったのに、新聞で「それは家庭の問題でしょう」と言ったことにされてたいへん迷惑した、という話でした。

なぜそんな、とんでもないまちがいが生じたのか。

と言っても、これはなにもそうむずかしい問題ではない。「假定の問題」も「家庭の問題」も、口で言い耳で聞けば「カテーノモンダイ」で音がおなじだからだ。アクセントまでおなじである。つまり校長先生は「假定の問題」のつもりで「カテーノモンダイ」と言ったのに、新聞記者はそれを「家庭の問題」と聞きとってしまった。ことが子どもがおこした事件についての話だから、記者が「家庭の問題」と早トチリしたのも無理からぬ点があります。

校長先生と新聞記者の話はそれでおしまいなんですが、「假定」と「家庭」だけではない。ほかに「過程」も「課程」もカテーである。

カテーは一つの小さな例にすぎない。日本語にはこういう、相互に無関係だが偶然におなじ音を持つことばが、何千も何万もある。

この「偶然」というのが重要なところなんですね。まったく偶然なんだ。「假定」と「家庭」とは意味の上ではなんの関連もないのに、偶然おなじ音を持ってハチあわせしちゃった。それが一つや二つではなく、そんなことばが何千も何万もある、というのが日本語の特性なのである。

まあなんでもいいから適当に音のくみあわせを考えてみてください。たとえば――「コーセン」にしましょうか。これをごくふつうの小型国語辞典でひいてみると、交戦、好戦、抗戦、光線、公選、口銭、工銭、香煎、鉱泉、黄泉、と十のことばがならんでいる。これをひっくりかえした「センコー」をひいてみると、穿孔、専攻、専行、戦功、浅紅、鮮紅、繊巧、先考、先行、潜行、潜航、潜幸、遷幸、線香、選考、銓衡、選鉱、閃光、とこちらは十八もならんでいる。無論なかには日常あまりつかわないことばもふくまれているが、よくつかうことばもある。これが「セーコー」であれ「コーセー」であれ、また「セーコン」であれ「コンセー」であれ、ことばの数は多いのやすくないのやいろいろだが事情は同様で、こういうことが無数にあるわけだ。上に「何千何万」と言ったのは決して誇張ではありません。

右に「コーセン」「センコー」と書きました。これは一種の発音記号のつもりです。日本語のかな表記は、外来語を別として、長音符（ー）をつかわないことになっているので、光線、専攻などは「こうせん」「せんこう」と書きます。しかしこの表記どおりに発音するわけじゃない。つまり「こうせん」「せんこう」の「う」のところを実際に「う」

と言うことは通常なく、「こーせん」「せんこー」と「こ」の音をのばして言っているわけです。別の例で言うと、「ケーキ」と「景気」とはおなじ音である。「きみ、なににする?」「わたしはケーキがいいわ」の「ケーキがいい」と、「あいつの店はちかごろだいぶ景気がいいそうだ」の「景気がいい」とはまったくおなじ音である。しかし「景気」のほうは「けいき」と実際には発音しない「い」をもちいて表記する。多くのかたが「景気」を「けいき」と書くのは発音どおりの表記だ、と思っていらっしゃるようだが、決してそうではないのです。光線の「こうせん」や専攻の「せんこう」もおなじです。

以下この本では、発音を示す時には原則としてカタカナで長音符をもちいて書くことにしておきます。つまり「光線」の発音を示す際は「コーセン」とします。

なぜ混乱しないのか

もとにもどります。假定と家庭と過程、交戦と公選と光線、専攻と潜行と閃光、というふうに、おなじ音のことばがいっぱいある、という話でした。日本人はこうしたことばを日常にもちいて、つまり口でしゃべって生活している。

それでは日本ではことばの誤解や紛糾――「假定の問題」と言ったのに「家庭の問題」と受けとられ報道されてしまったというような――がしょっちゅうおこっているかと言えば、そんなことはない。

上に「假定の問題」と「家庭の問題」とがとりちがえられたことを言ったけれども、これはごくめずらしいことであるからおもしろいと思ってわたしが話題にしているのであって、めったにあることではない。「假定の問題」も「家庭の問題」もふつうの日本人がよく言うことだが、これが混同することはまずない。どころか、この二つがおなじ音であることを意識している人はほとんどないだろう。実を言えばわたしも、この校長先生の文を読んではじめて、なるほど「假定」と「家庭」とはおなじ音なんだなあ、と気がついたのであった。

校長先生と新聞記者のばあいは特殊な例外なのであって、ふつうは、日本人同士の会話において、話し手が「假定の問題」のつもりで「カテーノモンダイ」と言えば聞き手はその意味にうけとる。「家庭の問題」のつもりで「カテーノモンダイ」と言えばその意味にうけとる。無論「コーセン」でも「センコー」でも同様である。

なぜ混乱がおこらないのか。

それぞれのことばの背後に漢字がはりついているからである。

では、「ことばの背後に漢字がはりついている」とはどういうことか、なぜそういうことになったのか、以下順をおってお話ししてまいりましょう。

2　世界でたったひとつの文字

かつて日本に文字はなかった。千数百年前に中国から漢字がはいってきた。日本人は漢字をもちいはじめた。

右にのべたことについて、いくつかの説明をくわえます。こんな、わずか一行とちょっとの、そうむずかしくもなさそうな記述にも相応の説明が必要なんだから、漢字の話というのはめんどうなんですよね。

ちょっとその前に、「中国」ということばについて――。実を申すと、これはあまり適当ではないのです。しかしこの本は文春新書というごく一般むけの本であるし、また呼称問題がこの本の主題ではないからその検討に多大のスペースをとるのはバランスを失するし、それに現在日本では、「中国」ということばが本来持つ意味を問うことなく、英語のChinaやフランス語のChineの意味で「中国」という呼称をもちいることが一般におこなわれているから、目をつぶって、以下「中国」と言うことにします。なぜこのことばが適当でないか、関心のあるかたは、わたくしの『本が好き、悪口言うのはもっと好き』(大和書房、文春文庫)におさめる「『支那』はわるいことばだろうか」をごらんになってください。

さて説明にとりかかります。

まず、「かつて日本に文字はなかった」ということ。

言うまでもないことだが、日本に文字がなかった、というのは、日本に言語がなかったということではない。日本語はあった。いやもちろん「日本語」という名称はありませんよ。名称の問題じゃない。漢字がはいってくるよりもずっと前からこの日本列島に人は住んでいて、その人々の話していることば、それはすなわちわれわれがいましゃべっていることばの先祖にあたるわけだが、それはあった。あたりまえです。しかし、それを表記する文字はなかった、ということです。

みなさんがたのなかには、文字のないことばなんてずいぶん不備なもののように思う人があるかもしれないけれど、それはとんだ考えまちがいです。いま地球上には四千ぐらいの言語があって話されているようだが、文字体系が四千もあるはずがない。文字をともなわない言語のほうが多いのです。まして千数百年も前には、文字を持ったことばというのが特殊な例外であった。

ずっとのちになって、漢字がはいってくる以前の日本に文字がなかったというのはおかしい、とか、くやしい、とかいうので、日本にも固有の文字があった、と主張する人があらわれた。主張するだけでは説得力がないから、これこのとおり、こういう文字があったのだ、と文字の標本を提出した。それを「神代文字《じんだいもじ》」とか「神代文字《かみよもじ》」とか呼んでいる。しかしそれらはみな、後世の人のでっちあげたニセモノです。そのことは、狩野亨吉《かのうこうきち》とか山田孝雄《やまだよしを》とかの学者によって完璧に証明されている。今後も、もし、日本に文字はあった、これがそうだ、と言う人があらわれても、決して信用してはいけません。

漢字と漢語

「中国から漢字がはいってきた」というのは、中国には文字があった、ということです。中国、と言ってもはなはだ茫漠としているが、こんにちの中華人民共和国の中央部分、現在の河南省を中心に、河北省の南部、山西省の東部、山東省の西部あたり、つまり黄河下流域地方、あのあたりをむかしから「中原《ちゅうげん》」と呼んでいる。この地方に住んでいた人種、これを「漢族《かんぞく》」と言っている。われわれ日本人がそう呼んでいるというのではありません。中国の人たちがそう呼んでいる。現在、中華人民共和国の総人口十数億の九十五パーセントくらいはこの漢族の人たち、英語で言うところのChinese（チャイニーズ）である。いまはずいぶん広い範囲に住むようになったが、ずっと大昔は、おおむね中原地方にかたまって住んでいた。

この漢族の言語が「漢語《かんご》」である。

いま日本では一般に、この「漢語」ということばがまことにアヤフヤなつかわれかたをしているので困る。人によってまちまちだが、「漢字で書く日本語」というような意味でつかっている人が多いらしい。しかしそういう、ことばの定義がハッキリせぬようなことでは、まともな議論はできない。議論どころか、まともにものを考えることもできない。

無論わたしは、そんなアイマイな話はいたしません。「漢語」というのは漢族の言語である。日本の、厳密な学術用語で言えば「シナ語」だ。英語で言えばチャイニーズ。しかし本家本元の中国で「漢語」と言っているのだから、それにしたがうことにします。――なお「中国語」という言いかたは、日本でだけもちいる呼称である。「中国語」と言えば「中国の言語」ということになるが、中国は日本とちがって多種族多言語国家だから、多数の言語の総称ということになる。単一の言語をさす呼称としてはおかしい。「インド語」というのがおかしいのとおなじです。

その漢語を書きあらわす文字が「漢字」である。つまり、「漢族」という人種があり、その言語が「漢語」であり、その漢語を表記する文字が「漢字」である。

漢語という言語がいつからあるのかはわからない。ともかく何千年もの大昔からある。それを書きあらわす漢字がいつできたのかもわからないが、三千年以上前からあることはたしかである。日本にはいってきたのが千数百年前だから、それまでにすでに二千年くらいの歴史がある。したがって非常に発達した、整備された文字体系になっていた。それが日本にはいってきた。

中国にはその二千年も前から文字があったのに日本にはなかった。これは、中国の文化はすぐれた文化であり、日本の文化は劣った文化であったからだ、と思っている人があるが、そうではありません。中国の文化は早くうまれた文化であり、日本の文化はおそくうまれた文化なのである。文化も個人とおなじで、早くうまれるものもあり、あとからうまれるものもある。早くうまれたかあとからうまれたかは、優劣とは関係がない。これは個人について考えてみればだれにもわかることですね。日本の文化は、中国の文化よりずっとおそくうまれた文化である。ゆえにその言語も未発達であり、独自の文字を持つにいたっていなかったのである。

日本語とは無縁

つぎに、日本人が漢字をもちいるようになり、現在ももちいていることから、漢語と日本語とは同系統の言語であるように思っている人がある。しかしそれはまちがいである。漢語と日本語とはもともとまったく別個にうまれた言語であって、類縁関係はない。
言語の系統と、それをどういう文字をつかって表記するかとは、多くのばあい無関係である。たとえば、日本語をローマ字で書きあらわすことができる。しからばその時、日本語は英語やドイツ語と同系統の言語になるか、と言えば、そんなことはない。子どもでもわかることである。

もともと世界の文字の種類はごくかぎられたものである。ある言語が文字で書きあらわせると言っても、その多くは無縁の言語を書きあらわすためにできた文字を借りもちいているのである。日本語もそうである。日本語とは無縁の、漢語を書きあらわすためにできた文字（すなわち漢字）を借り、これを多少手なおししてもちいているのである。カタカナやひらかなは日本独自の文字であるが、これとても漢字を簡略化して假借《かしゃ》的に――つまりもっぱら音をあらわす文字として――もちいているにすぎない。

ちょっと「假借《かしゃ》」ということを説明しておきましょうか。漢字は、漢語の一語一語を書きあらわしたものだから、みな意味を持っている。しかし時に、意味を捨ててその字の音だけをもちいることがある。それを「假借」と言うのです。

たとえばモーツアルトを「莫扎特」と書き、ベートーヴェンを「貝多芬」と書く。これらにつかわれている「莫」とか「貝」とかの字は、無論本来それぞれ意味を持っているのだが、それはこの際捨てられて、莫は「モー」、「貝」は「ベイ」という音だけをあらわすものとしてもちいられている。これが假借だ。「邪馬臺」とか「卑彌呼」とかも假借である（もっとも、多少評価をこめて字をあてることはある。ヤの音をあらわすのに「邪」をあて、ヒをあらわすのに「卑」をあてているのは、下等な国、また人と見くだしているわけだ）。

日本のかな、たとえば「カ」も「か」も「加」の省略形だが（「カ」は「加」の左がわだけをとっている。「か」は「加」全体を省筆している）、「加」の意味は捨ててその音だけをとっている。漢字の省略形を假借的にもちいているわけですね。

日本語に親戚なし

はい、漢語と日本語とはもともとなんら類縁関係はない、というお話の途中でした。漢語は「支那西蔵語族」（Sino-Tibbettan Languages）に属し、チベット語、タイ語、ビルマ語などと系統をおなじくする。日本語はこの語族と無縁である。

日本語の系統はまだわかっていない。今後も、わかる見こみはまずないでしょうね。要するに日本語は、地球上どこにも親戚のいない、孤立無縁（無援じゃなくてね）のことばである。

――いや、だからといってさびしがるにはあたらない。どこにも親戚の見つからない言語はほかにもたくさんある。世界で最も著名なのはかのバスク語でしょうね（スペインとフランスのさかいのバスク山地のことば）。スペイン語、フランス語はもとより地球上のいかなる言語ともまったく関係がないそうです。小生四十年ほど前、バスク語には「帽子をかぶった人といっしょに」という意味の単語（単語だよ）があるということを読んでびっくりしたのをいまだにおぼえている。ほかにも、インド周辺でおこなわれているブルシャスキー語だとか、アンダマン語だとか、親戚の見つからない言語はいろいろあるそうな。

ついでに言うと英語はこれと反対で、印欧語族（Indo-European）という、ヨーロッパ全域からアジア西部にまでまたがる世界最大の語族（ファミリー）の一員である。

日本語は漢語と系統を異にするのみならず、また性格がまったくことなる。もし日本語と漢語と英語の三つをとってくらべてみるならば、漢語と英語とは、系統は無論ちがうけれども、かなり似たところが多い。英語と日本語ともすこしは似たところがある。しかし日本語と漢語とはほとんど似たところがない。

右のごとく書いたら、編集者から「どう似ていてどうちがってるんですか。それを言ってくれなくちゃ」と言われた。なんだか話がまた横道にそれるようだけど、極力簡単に申しておきますね。

まず英語と漢語とが似ている点。

英語も漢語も動詞が先にきて目的語がそのあとにつく。kill him。漢語は「殺他《シャタ》」。（日本語は「あいつをころす」と目的語が先に立って動詞があとにつく。）

英語も漢語も否定する語が先に立つ。Do not go。別去《ビエチー》。（日本語は「行くな」と否定詞があとにつく。）

助動詞も同様。I want to go。我想去《ウオシアンチー》。（日本語は「ぼく行きたい」とあとにつく。）

前置詞が名詞の前につく。put on the desk の on。放在桌子上《ファンツァイズオーズシャン》の「在」。（日本語は「机の上におく」とあとにつく。だから当然「前置詞」とは言わず「助詞」と言うけれど。）

まあそのほかいくらでもあります。

なお、漢語の横につけたふりかなはきわめていいかげんなものです。決してこのカタカナで書いたとおりに発音するわけじゃない。日本語は音韻組織がおそろしくかんたんだから、どんな外国語の発音も日本語で書きあらわすことは不可能である。それはみなさん、日本語で書くと bus も bath も「バス」になってしまう、light も write も「ライト」になってしまうことなどでじゅうぶんごぞんじのとおりだ。漢語の発音は英語よりもっと複雑だからとてもダメです。「きわめていいかげん」と言うゆえん。

つぎに英語と日本語と似たところ。

動詞が変化する。go, went, gone。行く、行きません、行った、行こうよ、行けば。変化の性質や様態は無論ちがうが、とにかく変化する（漢語の「去《チー》」は変化しない）。

複音節で単語をつくる。——この「音節」ということについてはあとでくわしくお話しします。

日本語と漢語の似たところをさがすのはむずかしい。修飾語が被修飾語に先立つところはおなじだが（青い空、藍色的《ランソーダ》 天《テイエン》）、英語だってそうだ（blue sky）。まあしいてさがせば、時をあらわす語が早い段階に出る点は似ている。ぼくは毎日バスで学校へ行く。「毎日」が早い段階で出る。我毎《ウオメイ》 天《テイエン》 坐《ツオ》公共《コンコン》汽車《チーチヨ》上《シヤン》学《シユエ》。「毎天」が早い段階で出る（英語ではeveryday は最後だろう）。

以上、要するに漢語と日本語とはほとんど似たところがない、というお話でした。

恩恵であったか？

つぎに、日本が中国から漢字をもらったことをもって、恩恵をうけた、すなわち日本語にとって幸運なことであったと考える人があるが、それもまちがいである。それは、日本語にとって不幸なことであった。

なぜ不幸であったか。

第一に、日本語の発達がとまってしまった。

当時の日本語はまだ幼稚な段階にあった。たとえば、具体的なものをさすことばはあったが、抽象的なものをさすことばはまだほとんどなかった。個別のものをさすことばはあったが、概括することばはなかった。

それはこういうことだ。「雨」とか「雪」とか「風」とか、あるいは「あつい」とか「さむい」とかの、目に見え体で感じるものをさす、あるいは身体的な感覚をあらわすことばはある。しかし「天候」とか「気象」とかの、それらを概括する抽象的なことばはない。われわれはいま「お天気」ということばをごく日常にもちいているが、この「天気」という語も本来の日本語ではない。これも、概括的、抽象的なことばなのである。同様に「春」「夏」「秋」「冬」はある。しかしそれらを抽象した「季節」はない。

あるいは目に見える「そら」はある。しかし万物を主宰し、運行せしめ、個人と集団の命運をさだめる抽象的な「天」はない。いやこの「天」ともなると、単に抽象的というにとどまらず、この観念を生んだ種族の思想——すなわちものの考えかた、世界と人間とのとらえかた

――を濃厚にふくんでいる。

概念があるからことばがある。逆に言えば、ことばがないということは概念がないということである。理、義、恩、智、学、礼、孝、信、徳、仁、聖、賢……、これらはみな抽象的な概念である。目に見え手でつかめるものではない。これらに相当する日本語はなかった。ということは、そういう概念がなかったということである。

日本語は、みずからのなかにまだ概括的な語や抽象的なものをさす語を持つにいたっていない段階にあった。日本語が自然に育ったならば、そうしたことばもおいおいにできてきたであろう。しかし漢字がはいってきた――それはとりもなおさず日本語よりもはるかに高い発達段階にある漢語がはいってきたということだ――ために、それらについては、直接漢語をもちいるようになった。日本語は、みずからのなかにあたらしいことばを生み出してゆく能力をうしなった。

高度な概念をあらわす漢語は、かならずしも人類普遍のものではない。かならずしも日本人の生活や思想（ものの考えかた）、感情、気分に適合したものではない。

「季節」とか「気象」とかは人類普遍と言ってよいだろう。いわば無色の抽象語である。しかし、「天」はもとより、「理」にせよ「義」にせよ、あるいは「徳」にせよ「賢」にせよ、これらはみな中国人（漢族、支那人）の生活のなかからうまれてきた抽象的な概念である。支那思想そのものである。日本人は、自分たちの生活や感覚のなかからうまれたものではない、それらの概念をそのままうけいれざるを得なかった。

日本語が漢語の浸蝕をうけなければ、「理」や「義」や「徳」や「賢」に相当するような、しかしそれらとはちがった、日本人の抽象概念が日本人の生活のなかからうまれ、またそれらをさすことばがうまれていたであろうが、その可能性が断たれたのである（概念だけがあってことばがないということはない。その逆もない。概念が生ずることはそれをさすことばができるということであり、ことばができるのは概念がうまれたということである）。

もちろん日本人はその後、これら支那思想そのものである語をもちいて、日本人の思想をあらわすことばをある程度つくってはいる。たとえば「世間の義理」とか「人さまに義理をかいちゃいけねえ」などと言う「義理」は、漢語の「義」と「理」とをくみあわせたものであるが、しかしその「義理」は、漢語の「義」とも「理」とも大いにことなる、あるいはまったく無関係の、日本人の生活からうまれた日本思想である。「仁義をきる」の「仁義」もそうである。あるいは「賢」は、かしこい、りこうだ、ぬけめがない、といった意味にずれた。その意味での「賢」は日本人の生活からうまれた抽象概念である（漢語の「賢」は識見にすぐれ道徳が常人から隔絶して高い意味）。「孝」は――通常「孝行」と「行」の字を附加して――父母をたいせつにする意にずれた。その意味での「孝」は日本人の生活と感情とを反映する日本思想である（漢語の「孝」は男系先祖の祭祀をたやさぬこと、および男の子を多数生んで姓の断絶を防止すること）。

しかしこうした例は多くないし、漢語をそのままもちいているゆえにその知識からの浸潤、修正をうけやすい。日本人の思想をあらわす日本語は、ないことはないが（たとえば、いさぎよい、けなげ、はたらきもの、等）、とぼしい。特に知的方面にとぼしい。われわれはそれらのほとんどを、中国人の生活からうまれた語にたよらざるを得ない。

理想的な文字の不便

第二に、漢字は漢語を書きあらわすためにできた文字である。したがって、漢語と漢字との関係は理想的にしっくりしている。体にあわせて作った服、あるいは足にあわせて作った靴のようなものなのだから、しっくりしているのはあたりまえだ。言語とその文字とをひっくるめて考えれば、漢語は、世界のあらゆる言語のなかで最も完璧な、非のうちどころのない言語であろう。多くの言語は、文字体系を持っていても、その文字は借りものなのであるから。

しかし、漢字が理想的な文字であると言っても、それは漢語を書きあらわすために理想的なのであって、それとは性質を異にする、似ても似つかぬ他の言語を書きあらわすには当然不都合である。

それも当然のことだろう。あなたの体にしっくりあうように作った服は、あなたとは背の高さも、肩幅も胸まわりもお尻の大きさも、手の長さも足の長さもちがう別の人Aさんには、当然はなはだ着にくい服である。しかしもしこの世に、あなたの体にあわせて作った服しかないとしたら、Aさんはそれを着るほかない。どんなに不便な、窮屈なことだろう。

たとえばこういうことを想像してみてください。いまかりに英語が、それを書きあらわす手段を持たなかったとする。そして、この世におよそ文字というものは漢字だけしかなく、そこでどうしても英語を漢字で書きあらわさねばならないとしたら、それはどんなに途方もない、困難きわまることであろうか。ちょっと考えてみてください。

かつて日本でおこったのは、まさしくそういう事態なのであった。

漢語と日本語とがあまりにもかけへだたっていたために、日本語を漢字で書く、ということには、非常な困難と混乱とがともなった。その困難と混乱とは、千数百年後のこんにちもまだつづいている。

そんな不便な文字を、なぜ日本人は採用したのか。

もし、漢字と同時にアルファベット文字が日本にはいってきていたら、日本人は、考慮の余地なくアルファベットを採用していただろう。

しかしその時、日本人にとって、漢字はこの世で唯一の文字だったのである。これ以外に別な文字も有り得る、とは、当時の日本人には思いもよらないことであった。すなわちそれは、「漢字」なのではなく、たった一つの「文字」であったのだ。

3 漢語とはどういう言語か

漢字は、漢語を書きあらわした文字である。だから、漢字の話をするには、その前にちょっと、漢語とはどういうことばなのかを言っておかねばならない。

漢語は、原則としてすべての単語が一音節である。その単語が一つの字で書かれる。すなわち、一つ一つの文字がそれぞれ一つ一つの単語であり、それらはすべて一音節である。一語一字一音節、とこういうわけだ。一語が一音節だから、それを一つの字で書く、という方式がぴったりしているわけである。

音節とは?

さあ、「音節《おんせつ》」なんぞというむつかしげなことばが出てきたぞ。ここでお客さまに逃げられちゃたいへんだから、ちょっと説明しておきますね。

「音節」というのは、人がことばをしゃべる際に口から出てくる音の最小の単位である。

みなさんが一番よく知っているのは日本語だから、まず日本語について申しましょう。ヤマ（山）と言ってみてください。この「ヤ」とか「マ」とかいうのが音節だ。「ヤ」が一音節、「マ」が一音節、したがって「ヤマ」は二音節ですね。

オチャオノム（お茶を飲む）と言ってみてください。音節がいくつありますか？　はい、オ、チャ、オ、ノ、ムのそれぞれが一音節だから、合計五音節です。チャは二字だから二音節だろう、なんて言っちゃいけませんよ。「チャ」は一音です。イシャ（医者）は二音節で、イシヤ（石屋）は三音節です。イシヤの「シヤ」は「シ」と「ヤ」にわけて発音することができる。イシャの「シャ」はわけて発音することができませんね。言えますか？　ダメでしょ。「修学旅行」と言ってみてください。音節がいくつありますか？　はい七つですね。日本語は単純だから、音節をかぞえるのはちっともむずかしくない。

日本語の音節の数は百くらいです。「くらい」だなんてアイマイだなあ、もっとハッキリしてくれ、とおっしゃるかもしれんが、まあ人によっても地方によってもちがうし、ふえたりへったりもするからしょうがない。

たとえば野球の「チーム」と言うでしょ？　あるいは「スチーム」（蒸気）と言うでしょ？

これは、ひとむかし前の日本語には「ティ」という音節がなかったことを示している。学校のPTAも、五十年ほど前のおとなたちは「ピーチーエー」もしくは「ピーテーエー」と言っていた。いまのおとなは「ピーティーエー」と言う。NTTは「エヌチーチー」でも「エヌテーテー」でもなく「エヌティーティー」だ。つまりここ五十年ほどのあいだに、日本人は日常的に「ティ」という音節を口にするようになった。つまり日本語に「ティ」という音節ができたわけだ。

そのかわりひとむかし前には、あの三木武夫総理のように、国会を「コックヮイ」、外務省を「グヮイムショー」と言う人が多くいたが、いまはいなくなった。クヮ、グヮという音節はなくなったと言ってよかろう。まあ徳島県あたりにはのこっているかもしれないけど。

あるいは、お父さんを「オトッツァン」、ごちそうさまを「ゴッツァンデス」と言う地方には「ツァ」という音節があるが、言わない地方にはない。ごちそうさまを「ゴッツォハン」と言う地方には「ツォ」という音節があるが、言わない地方にはない。

そういうわけで百くらいです。

音節の数が百くらいというのはたいへんすくない。またその大部分が開音節だから、音節の構造がごく単純である。開音節というのは母音でおわる音節です。日本語の母音は、ア、イ、ウ、エ、オの五種だけだから、つまりほとんどの音節がａｉｕｅｏのいずれかでおわるわけである。
日本語はむずかしい、とか、むずかしくない、とかの議論が時々あるが、すくなくとも発音は非常にやさしい。そりゃそうだ。音節が、つまり音の種類が百ほどしかないんだから、百おぼえればどんな単語でも発音できるわけだ。

日本語は音節の数がすくないから、したがって一音節のことばもすくない。せいぜい二百語くらいのものじゃないかしら。メ（目）、メ（芽）、ハ（歯）、ハ（葉）、キ（木）、ト（戸）、ミ（実）などの名詞、ニ（あいつになぐられた）、ト（きみといっしょに）、エ（山へ行く）、ワ（ぼくは小学生）などの助詞……とかぞえていっても、大した数にはなりませんね。日本語の単語は何万もあるのだから、一音節の単語は一パーセントもないわけだ。

英語の音節は多い。三千くらいあるらしい。したがって当然一音節の単語も日本語より多い。

英語の音節は日本語にくらべるとうんと複雑だ。発音がむずかしいわけだよね。一音節の単語も、sun とか cat とかは単純だけれど、spring とか strike とかになると相当複雑である。えっ、スプリングやストライクは五音節じゃないの？　なんて言わないでね。それは日本語のスプリングやストライクだ。日本語ではたしかに、ス、ト、ラ、イ、クと五音節だが、英語の

strike はもうこれ以上分割できない最小単位、一音節である。英語の音節で最も複雑なのは strength なんだそうです。これで一音節。

しかし、いくら音節の数が多いと言っても、一音節の単語の数は知れたものである。さあ、全体の一割くらいのものだろうか。英語の辞書では、見出しのところで音節の切れめを示しているから——たとえば sta・tion は二音節、com・mer・cial は三音節といったふうに——ごらんになってください。全体として見れば一音節の単語というのは大した数ではない。

漢語の声調

さて漢語の音節だ。音節の数は英語ほど多くはない。だいたい千五百くらい、英語の半分ほどである。strength のような、一音節のなかに四つも五つもの子音がこみあっているような音節もない。しかしどの音節も「声調」というものを持っているから、むしろ英語より複雑である。

声調というのは、音の高低の変化、つまりトーン（tone）である。たとえば pai という音節は一見単純だが、高い pai、低い pai、あがる pai、さがる pai、それぞれ別の音節である。日本語にも英語にもそういうのはないからわかりにくいかもしれませんが。

日本語でも「このあたりは木が多い」の「木」と「そいつは気がつかなかった」の「気」と

は（標準語の発音では）トーンがちがうようだが、それはあとの「が」との関係でそうなのであって——「木が」はキからガへとストンと落ちる、「気が」はキとガがおなじ高さでならぶ——「キ」単独の音調にちがいがあるわけではない。漢語では一つの音節を単独に発語してそれぞれにトーンがある。ちょうど「木が」と「気が」の相違のような変化が一つの音節の内部にあるのである。

さっき言った pai の例で言うと、高くたいらに pai と言うのは、ひっぱたくということばである。あがり調子で pai と言うとならべるということばである。さがり調子で pai と言うと、「おまえどこそこへ行け」と人を行かせることである。これはたまたま三つとも動詞であったが、別にこの三つのあいだに何か共通性があるとか縁つづきだとかいうことはない。全然別のことばである。

そういうふうに、すべての音節が（つまりすべてのことばが）それぞれの音調を持っているのが漢語の特徴である。知らない日本人がその話を聞くとえらくむずかしい言語のように思うかもしれないが、そんなことはありません。なれれば無意識に、自然にその声調がついてくる。現に漢語をしゃべって生活している人たちはすべて無意識です。

そりゃそうだよね。日本の子どもが「ジュースのみたいよー」とねだる。「のむ」という動詞は「のま」「のみ」「のむ」「のめ」とマ行四段（「のもう」を未然形以外と考えれば五段）

に活用する。あとに「たい」がつくばあいは連用形だから「のみ」だ、とそういう知識の上に立って「のみたいよー」とねだるわけじゃない。のみたい時には自然に連用形になる。自分が連用形を使って発言しているという知識も意識もなく「のみたいよー」と言う。それが「のまたいよー」になったり「のむたいよー」になったりすることはない。中国の人が「ピシャッと机をたたいた」と言う時に、さあこの「たたく」の pai は高くたいらな音だぞ、まちがえてあがり調子で言うと「机をならべた」になっちゃうぞ、と意識して言ってるわけじゃない。「机をたたいた」と言う時には自然に、無意識に口から高くたいらな音が出ている。それを、「あ、いま高くたいらな音が出たぞ」と観察するのは学者と外国人で、当人たちはそんなことは知らないのである。

漢語をカタカナ書きしてもこの声調はもちろん書きあらわせない。たたくのもならべるのも「パイ」としか書きようがない。さきに、カタカナのふりかなはごくいいかげんなものです、と言ったのは、このこともふくんでいる。

一語一音節一字

漢語の単語は、原則として、すべて一音節である。その一つ一つの単語に個別の文字がある。すなわち語の数だけ字がある。逆に言えば、字はみな、固有の音と、その音があらわす意義とを持つ。一語一音節一字なのであるから、当然のことながら、一つ一つの文字（漢字）が持つ音はみな一音節である。「ゆき」とか「まくら」とかいったふうな、複音節の音を持つ文字はない。

右の五行について、ちょっと説明をくわえます。

原則として単語はすべて一音節、というのは例外もあるということで、外来語には二音節以上の単語もある。葡萄《ブタオ》（ブドウ）、蘿蔔《ロボ》（ダイコン）、玻璃《ポリ》（ガラス）、菩薩《プサ》（ボサツ）など。しかしそう多くはない。

音節の数は千五百ほどで、単語は原則としてすべて一音節、ということは、単語の数が全部で千五百ほどしかないのか、と言えば、無論そんなことはない。

まず、別の単語だけれどもたまたま音がおなじ、という、いわゆる「同音異義」のことばがかなりある。

これはまあ、めずらしいことではない。人が口から発することのできる音の種類はかぎられているのに、世の事象は無数、したがって単語の数も何万何十万と無数にちかいほどあるんだから、どんな言語にも同音異義ということはある。日本語だって、たとえば「コイ」という音には、「濃い」「恋」「鯉」「来い」などのことなることばが同居している。漢語にもそれはかなりある。たとえば「衣」も「医」も高くたいらなイ（yi）である。

それから、非常に多くのことばが、二つの単語のくみあわせでできている（つまり二音節である）ということがある。

たとえば日本にも輸入されてひろくもちいられている「学校」「教育」「入学」、それに「畢業」（日本では「卒業」）「考試」（日本では「試験」）「及格」（日本では「合格」「及第」）などのことば、みなそうですね。二語のくみあわせでできている。もしこれらを「単語」と呼ぶならば、漢語には二音節の単語が多い、ということになる。しかし、一つ一つの語が意味を持っていて、それがくみあわさってことばができているのだから、こうしたことばは「複合語」とでも言ったほうが適当でしょう。日本語の二音節のことばとは性格がちがう。

日本語の二音節のことばというのは、たとえば「ふく」（風がふくのでも窓ガラスをふくのでも）ということばは、「ふ」がある意味を持っていて、「く」がある意味を持っていて、そこでその「ふ」と「く」とをくみあわせて「ふく」とすると「ふ」と「く」とを複合した「ふく」の意味になる、というのではありませんね。「ふく」ということばを構成している「ふ」と「く」とには何ら意味はなく、「ふく」ではじめて意味を持つ。ところが漢語の「学校」は、「学」と「校」とがそれぞれ意味を持った単語であり、そのくみあわせで「学校」ということばができている。「教育」も「入学」も「畢業」「考試」「及格」もみなそうです。

二音節で安定

漢語というのはおもしろいことばで、単語はすべて一音節なのだが、それが二つあつまって二音節のかたまりになって安定する。だから「学校」とか「教育」とかいったふうな二音の(したがって二文字の)くみあわせ語が非常に多いのです。

であるから、おなじような意味の単語を二つならべたことばが多い。ものすごく多い。それがそのまま日本にはいってきて日本人に負担をかけてきた。いまもかけつづけている。

たとえば右に「負担」ということばをつかった。これがそうです。「負」も「担」も人が荷物を持つことで、「負」は背中に持つ、「担」は肩に持つというちょっとしたちがいはあるけれど、どっちにしても比喩的にもちいているのだから大差はない。「負」でも「担」でもいいものを、「負担」とおなじような語を二つならべる。日本人は字を二つおぼえねばならないことになる。

右に「比喩」ということばをつかった。これもなぞらえるという意味のことばを二つならべたもので、二つならべて安定するのである。さっきから「安定」ということばを何度ももちいているが、これもそうですね。そのほか「幸福」とか「闘争」とか、「山岳」とか「道路」とか、あるいは「樹木」とか「健康」とか「尊敬」とか「真実」とか、みなおなじような意味の単語を二つならべたものだ。こういうことばは何百も、あるいは何千もあるから考えてみてください。

で、日本語で言えば「やま」とか「みち」とかのひとつのことばについて、すくなくとも二つ、しばしばそれ以上の漢字をおぼえないとことばがつかえない。もともと日本語にはおなじような意味の語をかさねないと安定しないというような性格はないのに、漢語ではそうだから、文字はなんでも二つ以上おぼえなきゃならない。無駄な労力みたいなものです。そして「皮膚」だの「福祉」だのというのになると、二つならんでる字の上も下も意味はおなじことだのに、そのことばだけのためにほかにあまり用のない字をおぼえないといけない。「膚」や「祉」はほかにはあまり使い道がありませんね。上に負担になっていると言ったのはそういうことです。だからなるべくこの種の漢語をつかわないように、なるべく本来の日本語をつかうようにするのがよいのだが、しかし慣用ということもあるからね、皮膚病のことを「かわ病」あるいは「かわやみ」と言ってもつうじにくい。人のからだのかわに生ずる病気なんだから「かわ病」でもわるいことはないはずなんだが、そういう慣用がないということです。

ああ、二字くみあわせのことばというのはみなおなじような意味の単語のならびだと、そう言ってるわけではありませんよ。いろんなくみあわせがあるのだが、この種のものが日本人にとっては一番無駄な労力だと申しておるのです。

新聞を見ていると、日本の漁船がロシアの軍艦に「だ捕」されたなんてよく出ている。「だ」

なんて何の意味もないのだからナンセンスだ。こんな記事を平気でのせている新聞社というのはバカの骨頂ですね。漢字で書けば「拿捕」である。だったらちゃんと「拿捕」と書け、と言う人が多い。まあたしかに、どうしてもダホということばをつかわねばならんのならそう書くほかないが、しかしそれも小生の言う無駄な労力というものだよね。「拿」も「捕」もつかまえるということで、日本語にはおなじ意味のことばを二つかさねなければならない義理はないんだから、「ロシアの軍艦につかまえられた」と言えばすむことだ。

あるいは、会社が「破たん」した、という記事がよくある。こんなこと書くやつがバカであることは上におなじ。漢字で書けば「破綻」だが、これもおなじような意味の語を二つならべたものなんだから、日本語のたちばとしては、何も二つかさねる必要はない。会社がたおれたとか、つぶれたとか、たちゆかなくなったとか言えばよい。まあちょっと長ったらしくなるけど、もともとまのびして長ったらしいのが日本語の性質なんだからしょうがない。

漢語は「二音節で安定」という性質を持った言語だから、二音節にして安定をはかる方法はほかにもいろいろある。たとえば、ほとんど意味のない「子」という語をくっつけて二音節にしたもの。これは非常に多い。日本にもいくらかはいってきて、いまでももちいられているものがある。帽子、障子、椅子、獅子、様子、冊子、日子など。意味をになっているのは上の語だけである。

こういうふうに語をくみあわせてことばをつくるから、一語一音節で音節数はたったの千五百ほどでも、ことばの数は何万も何十万も可能なのである。

「単語」は適用しにくい

上に何度も「単語」ということばをもちいたが、これは西洋の言語の分析からみちびき出された概念だから、漢語の説明には適用しにくい。そのことは以上の説明からよくおわかりいただけただろうと思う。

たとえば、「考」はまちがいなく一つの単語である。意味は日本語の「しけん」、英語のexamination。「試」も一つの単語である。意味は日本語の「しけん」、英語のexamination。「考試」はその「考」と「試」をかさねたことばで、これももちろん意味は日本語の「しけん」、英語のexaminationだ。英語のexaminationにあたる一つのことばである、という点を見れば「考試」は一つの単語とも言えるが、「考」も「試」も一つの単語なのだから、「考試」という一つのことばは、単語と言うより「くみあわせ語」「複合語」「熟語」などと言ったほうがふさわしかろう。

無論おなじ意味の二つの語をかさねあわせてできていることばばかりがそうなのではない。たとえば「畢業」ということば。「畢」はおわるという意味である。「業」はしごと、このばあいは「学校でべんきょうする」というしごとである。それがすっかりおわった、ということだから、日本語の「卒業」、英語の graduation にあたる。英語の graduation にあたるという点から見ると「畢業」は一つの単語とも言えるが、何も英語を標準にせねばならぬ義理あいはない、漢語は漢語だ、というたちばから見れば、これは「おわる」と「しごと」という二つのことばから成る複合語である。

なお、「しごとがおわる」なら「業畢」になりそうなものだ、とお思いになるかたがあるかもしれないが、それは日本語的な発想である。漢語は英語とおなじく、動詞がさきに立つのでしたね。学校にはいることを「入学」と言い、陸にあがることを「上陸」と言うように。こういう「入学」や「畢業」や「上陸」や「及格」(一定の資格にとどく、日本では「合格」と言うことが多い)のようなことばを「動賓構造《どうひんこうぞう》のことば」という。動詞とその賓語(目的語、オブジェクト)ですね。日本語は「やまのぼり」とか「さかなつり」とか「くりひろい」とかいうように賓語がさきに立つ。言ってみれば「賓動構造」ですね。そんな言いかたはないけれど。

日本人の神業

そういうわけで、漢語の単語はすべて一音節である。そしてそれを一つの文字であらわすのだから、ことばの性質と文字とが実にしっくりしているのですね。

であるから、漢字というのは、その一つ一つの字が、日本語の「い」とか「ろ」とか、あるいは英語のaとかbとかの字に相当するのではない。漢字の一つ一つの字は、英語の一つ一つの「つづり」（スペリング）に相当するのである。「日」はsunもしくはdayに、「月」はmoonもしくはmonthに相当する。英語の一つ一つの単語がそれぞれ独自のつづりを持つように、漢語の一つ一つの単語はそれぞれ独自の文字を持つのである。であるからして、漢字のことを英語でChinese characters（シナ語の文字）と言うけれど、むしろChinese spellings（シナ語のつづり）と考えたほうがよい。

ときどき、英語のアルファベットはたったの二十六字で、それで何でも書けるのに、漢字は何千もあるからむずかしい、と言う人があるが、こういうことを言う人はかならずバカである。漢字の「日」はsunやdayにあたる。「月」はmoonやmonthにあたる。このsunだのmoonだののつづりは、やはり一つ一つおぼえるほかない。知れきったことである。漢語で通常もちいられる字は三千から五千くらいである。英語でも通常もちいられる単語の数は三千から五千くらいである。おなじくらいなのである。それで一つ一つの漢字があらわしているのは一つの意味を持つ一つの音節であり、「日」にせよ「月」にせよその音は一つだけなのだから、むしろ英語のスペリングよりやさしいかもしれない。

ただし日本の漢字は別ですよ。これは、まるで氏素姓のちがう漢語というよその言語から文字を借りてきて日本語のなかでつかっているのだから、たいへんにむずかしい。

「十一月の三日は祝日で、ちょうど日曜日です」

こんなむずかしい文章を日本人は毎日のように相手にしている。ごらんなさい。「日」という字が四へん出てくる。最初の「日」はカ、二つめの「日」はジッ、三つめはニチ、四つめはビだ。これを日本人は一瞬にして判断し、よみわける。ほとんど神業としか思えないが、日本人はへっちゃらだ。よほど頭のはたらきのはやいのばかりがあつまった、世界でもめずらしい天才人種に相違ない。

いったい日本で昔から、日本の漢字はむずかしい、むずかしすぎる、と言うのはみな知識人である。おなじ「日」という文字を一秒もかからずに四種によみわける、神業だ！と驚嘆するのはわたしのような学者である。ふつうの日本人はなんにも意識してないからへっちゃらなのである。ちょうど子どもが、マ行四段活用の連用形を駆使しているとはちっとも気づかないで「のみたいよー」と言ってるのとおなじだ。いやもちろん、四種の「日」はマ行四段連用形よりもさらに複雑高度なんですけどね。

というわけで、漢字というものは、それ自体は、というのはつまり漢語のなかでもちいられているかぎりにおいては、別になにもそうむずかしいものではない。日本語のなかの漢字はえ

っているとは思

らくむずかしい。しかしそれをつかう日本人がえらくむずかしいことをやってのけていると思ってないんだから、まあ多分そうむずかしくないんだろう、――とそういうわけです。

漢字の音《おん》

以上何度ものべてきたように、漢語の単語はすべて一音節であり、それを一字で書くのだから、漢字のよみはすべて一音節である。これが日本にはいってくると、二音節になっているものが数多くある。これは日本人の口が不器用だからである。

右の三行について説明をくわえます。

漢字とその音とその意味――それがつまり漢語そのものだ――は、二千年ちかくものむかしから江戸時代にいたるまで、長期にわたって日本に流入しつづけた。しかしまとまってはいってきたのは、平安時代はじめごろまでの二百年か三百年か、それくらいの期間である。

一つ一つの漢字はすべて、それぞれ個別の音、つまりよみを持っている。日本人はそれをなるべく忠実にまねてそのとおりに発音しようとする。その日本におけるよみのことを、漢字の「音《おん》」と言います。

たとえば「漢」という字。これをカンとよむ。これがこの「漢」という字の音《おん》である。「字」

をジとよむ。これが音《おん》である。あるいは「本」という字をホンとよむ。これが音《おん》である。

「本」という字にはもう一つ、山本さんとか熊本県とかのモトというよみもあるじゃないか、とおっしゃるかたがあるかもしれない。たいへんよい質問です。このモトというのは、この字が日本にはいってきてから日本人が勝手にくっつけたよみで、「訓《くん》」というものです。これについてはあとでゆっくりお話ししますから、いまはちょっとわきにおいときましょうね。いまお話ししているのは、その字に本来からついているよみ、つまり漢語そのもののことです。これを日本人がまねしてよんだのを「音《おん》」というのです。もちろん不器用な日本人がまねするのであるから、本来の発音そのとおり、というわけにはゆかないよ。日本式になまっている。それを「音《おん》」というのである。

英語を例にとれば、springということばがある。ふつうの日本人はこれを英米人のようにはとても発音できないけれど、極力うまくまねしようとして「スプリング」(ローマ字で書けばsupuringu)と言う。ずいぶんなまってますね。本来のspringは一音節だのに、日本人が言うと、「ス、プ、リ、ン、グ」と五音節にもなる。この「スプリング」が、springの音《おん》である。

で、漢字の音《おん》が日本にはいってきた。その時代というのは、中国では、六朝《りくちょう》(別の言いかたをすれば南北朝)から隋《ずい》、唐《とう》の時代である。特にこの唐の時代に、日本人は漢字の音を最も熱心にとりいれた。六朝から唐にかけてというのは、西暦で言えば、だいたい三世紀ごろから十世紀ごろにかけての時期になる。

中国の文化というのは、たいへん歴史がふるく、寿命のながいものであるから、その言語である漢語もまたながい歴史を持っている。そのながい時間のあいだに発音も変化している。

これはなにも漢語だけではありません。どんな言語も変化するのです。人の一生はみじかいから、相当長生きした人でも、自分のわかいころから年をとるまでのあいだに発音の変化があったとはめったに気がつかないが、もうすこしながい時間で見れば、われわれの日本語だってずいぶん変化しているのだ。たとえば江戸時代はじめごろまでは「広い野原」を「フィロイノファラ」と言っていた、というようにね。

で、漢語も変化している。そのうち、いま言った六朝から隋、唐にかけての時代の漢語、これを「中古《ちゅうこ》漢語《かんご》」と言う。中古《ちゅうぶる》の漢語、ってことじゃないよ。それ以前の上古漢語、そのあとの中世漢語と区別して中古漢語と言う。日本にはいってきた漢語の大部分はこの中古漢語である。そしてそれを現在にいたるまでつかっている。それ以前のもそれ以後のもあるが、多くない。

この中古漢語は、ながいながい漢語の歴史のなかでも最も重要なものである。それに中古漢語の時代というのは、こんにちから見て比較的ちかい時代であり、資料も多いから、その様相がよくわかる。特に中国人自身が、自分たちの言語を自覚的に見つめ、ふかく研究した時代であるから、たいへんよくその様相がわかるのだ。

現在中国でもちいられている漢語、これを「現代漢語」と言う。こんにちふつうの日本人が「中国語」と言っているのが、この現代漢語である。現代漢語は、中古漢語の直系の孫くらいにあたる。だからもちろん、祖父である中古漢語にソックリである。しかしまあ、なにぶん千数百年もの時間がたっていることであるから、いろいろ変化しているところもある。人間で言えば、いくらおじいさんにソックリの孫だと言っても、こまかい点ではいろいろちがうところもあるのとおなじことだね。

ところが日本語のなかの漢字音は、中古漢語をそのまま保存している。いやもちろん、相当ゆがんだ形で、ですよ。なんで「ゆがんだ形で」かと言うと、日本人の口が不器用だからだ。しかし日本人の口がどう不器用かということ、だから漢語の発音をどうゆがめてしまうかということはすっかりわかっているのだから、その知識によって修正をくわえれば、中古漢語をそのまま保存している、と言ってさしつかえない。日本の漢字音は「中古漢語の化石」と言われるゆえんだね。化石というのはたとえば大昔の動物がそのままの形で石になってのこってたりするのを言うのだが、そんなふうに中古漢語がそのまま日本にのこっているわけだ。

4　不器用な日本人

ささっきからしきりに日本人の口は不器用だと言っている。これを説明しておかねばならん。

日本語は開音節構造である。すべての音節が母音でおわる。しかもその母音の前につく子音は一つだけである。要するに日本人が口から出せるのはごくかんたんな音だけである。またその音の種類がいたってすくない。これはもう大昔からそうである。いやいまの日本人は、大昔の日本人にくらべれば、それでもかなりむずかしい音を出せるようになっている。

日本語の音節はすべて母音でおわると言ったが、現在の日本語には母音でおわらない音節が二つある。

一つは、「ともだちを呼んだ」とか「ともだちが死んだ」とか言う時の「ン」の音。これを「撥音《はつおん》」と言う。

もう一つは、「ともだちが言った」とか「ともだちにしゃべった」とか言う時の「ッ」の音。——もっともこの小さな「ッ」で書きあらわす音というのは、厳密に言えば音ではない。なぜと言って、口からはなんの音も出てないのだから。ただ、一拍分の時間、音が停止しているだけである。これを「促音《そくおん》」という。

この撥音と促音とは、全体としていたってかんたんな日本語の発音のなかでは、わりあいむずかしい。と言っても、「よんだ」だの「いった」だのくらいは子どもでも言う。「おしっこすんだよ」と言えば、「おしっこ」の「っ」が促音、「すんだ」の「ん」が撥音である。しかしむかしの日本人は言えなかった。

で、特にこの促音、音の出ない音節があるがために、日本語のばあいは、「音節」という用語をもちいないほうがよい（なぜなら「音節」と言うからには何かしらの音が口から出ているはずだから）、「拍《はく》」とか「モーラ」とか呼んだほうがよい、と学者は言っている。そのとおりであるが、この本は漢語の話をするのが趣旨であるから、日本語についてはあまり厳密なことを言わず、「音節」と言っておきますね。ですから日本語のばあいは、「音節」と言っても、実は「音がない」という音節が一つあるのだと承知しておいてください。

「ン」の音は、奈良時代平安時代のころに漢語がどんどんはいってきて、漢語には語尾がnの音でおわることばがたくさんあるので（たとえば「漢」はカンですね）、これをまねしているうちに、だんだん「ン」の音を出せるようになったのである。

「ッ」の音は、日本語自体のなかで、たとえば「勝ちて」をてっとりばやく「勝って」と言う、「知りて」を「知って」と言う、というようなふうにして、できてきたようです。

ついでに言うと、「野球」のキュとか、「旅行」のリョとか、「お客さま」のキャとか、「投票」のヒョとか、そういう音を「拗音《ようおん》」と言うのだが、こういうのも、むかしの日本人は言えなかった。これも、なんとか漢語の音をまねしようと、顔をゆがめ口をひねって懸命に努力しているうちに、だんだん言えるようになってきたのである。

こうして見ると、いまの日本人の口も相当不器用だが、むかしの日本人はもっともっと不器用だったわけだ。

日本語ではまのびする

日本人の口は不器用だから、よそのことばをまねして発音すると、もとのことばの一音節であるものがまのびして二音節にも三音節にもなってしまう。英語の dog とか cat とかでも、日本人が言うと「ドッグ」「キャット」と三音節になる。spring なんぞは「スプリング」と五音節にもなるのはさきに言ったとおりだ。それとおなじで、漢語は一語一音節一字だからどの漢字も一音節なのだが、日本ではたいてい二音節になるのである。

ちょっとこの五行ほどのあいだに出てきた字を見てみましょう。

二音節のもの。日（ニチ、ジツ）、本（ホン）、人（ニン、ジン）、口（コウ）、用（ヨウ）、発（ハツ）、音（オン、イン）、一（イチ、イツ）、節（セチ、セツ）、三（サン）、英（エイ）、言（ゴン、ゲン）、漢（カン）。以上十三。

対して一音節のものは、不（フ）、器（キ）、二（ニ、ジ）、語（ゴ）、五（ゴ）、字（ジ）。以上六つ。二音節にまのびしているもののほうがだいぶ多いことは、これだけでも十分にわかりますね。

くどいようですけれど、この二音節とか一音節とかいうのは「日本人が発音すると」ということですよ。本来はすべて一音節であることは、これまでたびたび言ったとおり。だからもちろんみなおなじながさです。日本人が発音すると、「用《よう》」とか「節《せつ》」とかは二拍、「語《ご》」や「字《じ》」などは一拍で、用や節は二倍のながさになるが、本来はすべて一音節、「語」や「字」とおなじながさです。英語とおなじことで、不器用な日本人が発音すると音節が多くなるのです。

ついでにちょっと申しておきますと、右に「用《よう》」とか「英《えい》」とかいうのが出てきました。この種のものは、東（トウ）、紅（コウ）とか、敬（ケイ）、青（セイ）とか、もう何百も何千もあります。これらはみなngでおわる音なんです。英語にもたくさんありますね。たびたび登場したspring、そのほかlongとかsongとかbringとか。それとおなじ音です。

このngでおわる音というのが、日本人はダメなんですよね。ngのところで音が鼻へぬけて自然に消えてゆく。だから口からはこれといった音は出ていない。そういう音なんだが、これができない。なにしろなんでも母音をつけないと発音できない人種ですからね。

英語の spring や long を日本人は「スプリング」「ロング」などと「グ」と言っているが、英米人が話す際には、もちろん「グ」なんて音は出てないのです。

で、むかしの日本人は、この ng の音は口からこれといった音は出ないで鼻へぬけて自然に消えてゆく音であるから、「ーウ」または「ーイ」としたのである。「用」だったら yong という音だから「ヨウ」にした。「グ」にするよりはだいぶ賢明ですね。そう思いません？

日本語にはないこの語尾の ngをどう書きあらわすかはなかなかむずかしい問題で、日本人もいろいろやってきた。奈良平安のころにはこれを「ウ」または「イ」とした。そのあとの鎌倉室町時代には「ン」とした。たとえば「鈴」は奈良平安のころにとりいれた際は「レイ」だが、鎌倉室町では「リン」である。いまでも「呼鈴《よびりん》」なんて言うあの「リン」ですね。あるいは「燈」は、奈良平安には「トウ」だが、鎌倉室町には「ドン」である。「行燈《あんどん》」の「ドン」ですね。あるいは「請」は、奈良平安には「セイ」だが、鎌倉室町には「シン」である。「家を普請《ふしん》する」の「シン」ですね。こういう例はほかにもいろいろある。

奈良時代よりももっと前はどうかというと、ngのあとに母音をつけている。たとえば「相」。これは sang という音なのだが、このあとに母音 aをつけてサガにした。「ガ」は、nga、鼻へぬけるガです。いま東京の人が「花が咲いている」と言う時の「ハナガ」のガですね。「鼻濁《びだく》音《おん》」と呼んでいます。

で、「相」はサガ。いまの神奈川県のあたりのことを「相模」サガミと言う、そのサガですね。まあ奈良時代以前のことばというと、もううんと大昔だからいまのこってるのは地名くらいのものであまり多くはないけれど、すこしはこうやってのこってるのもあるわけだ。そうして日本人が、このngの音をどうやって日本語の音のなかにとりいれようかといろいろ苦心したことがわかる。最も古くはガギグゲゴにした。つぎに「ウ」「イ」にした。そのあとは「ン」にした。とそういうことです。「相」sangならば、最初は「サガ」、つぎは「サウ」、つぎは「サン」だが、どれにしても日本人がやると二音節になっています。

なお、鈴をリンのごとくngをンにするのはかんたんでいいが、そのかわり語尾nのものとおんなじになってしまう。隣や輪もリン、鈴もリンで区別がなくなります。ただし、ngを「ウ」「イ」にすればまぎれがないというのではありませんよ。これはこれでまぎれが生ずる。たとえば、岡（あるいは剛、綱、鋼など）のkangを「カウ」とする。高（あるいは稿、縞など）のkauも「カウ」であるから区別がない。これは、何べんも言うように日本語の音の種類がすくないのだからしょうがない。busもbathもバスになりlongもwrongもロングになるのとおなじ事情です。

変化することば、しないことば

漢語は語の形が変化しない。英語や日本語は変化する。このことは前にも言いました。

特に英語は変化がデタラメである。「あいつ」は he だが「あいつの」となると his になる。ところがあいつが二人以上いて「あいつらの」となると、どういうわけだか their と似ても似つかぬ形になる。

自分や相手が持っているのは have だが、あいつが持っていると has になる。ところがあいつらが持っているとまた急に have に逆もどりする。リクツも何もあったものでない。

日本語は英語ほどデタラメではないが、そのかわり変化がめまぐるしい。「泣く」ということばが「泣く」という原形のままでもちいられることはかえってすくなく、「ぼくは泣かない」「わたしも泣きません」「泣けばどう」「泣こうかしら」「泣いた泣いた」とどんどん変化する。

漢語は変化しない。泣くのは、自分が泣こうがあいつが泣こうが、いま泣こうがむかし泣こうが「哭《クー》」である。「ぼくは泣かない」という意志の表明は「我不哭」、「あいつは泣かなかった」という過去の事実は「他没哭」、「君きっと泣くよ」という未来の予測は「你会哭」というように様相のちがいは他の語がくっついてあらわすが、「哭」という語自体は動かざること山のごとく、変化することは決してない。あるいはまた、「大《ダー》」という語はこの「大」という形のままで「大きい」にもなるし「大きさ」にもなるし「大いに」にもなるし「大きくなる」にもなる。

こういう言語には、一語一字方式がぴったりである。漢語と漢字の関係は理想的だ。ところが、英語や日本語のような変化する言語を漢字で書きあらわそうというのは至難である。かぎりなく不可能にちかい至難だ。

さきにも言ったように、いまから千数百年前の日本にアルファベット式の文字がはいってきていたら日本人はもうすこししあわせだったのだが、そうは問屋がおろさなかった。文字はあとにもさきにも漢字しかなかった。語が変化しない言語のために作られた文字を変化する言語に適用するには、相当めんどうな加工が必要であった。

呉音と漢音

ここで編集者から、「漢音《かんおん》とか呉音《ごおん》とかいうのはどういうことですか」という質問が出た。ちょっと横道になりますが、ひととおり説明しておきましょう。

これは、ある一つのことばが、日本にはいってきた時期によって発音がことなる、ということです。

そういうことは英語でもよくありますね。たとえば cup ということばが早い時期にはいってきた時は「コップ」と訳された（つまりそう発音された）。「コップで水を飲む」などと言う「コップ」ですね。のちにはいってきた時には「カップ」と訳された（つまりそう発音された）。「優勝カップ」とか「コーヒーカップ」とかの「カップ」ですね。もとの cup という英語にちがいがあるわけではないのだが、それをとりいれた日本において、はいってきた時期、その時の事情、そのことばがもちいられるばあいなどによって、「コップ」と「カップ」と両種のことば（言いかた）が生じた。ほかにも、インキとインク、ストライキとストライク、トロッコとトラック、ガラスとグラス、チッキとチェック、プリンとプディング、ステッキとスティック……、考えればいくらでもあるでしょうね。

それとおなじことが漢語のばあいにもあった。しかも漢語はとりいれた期間が英語より格段にながいからね。こういうことが大量に生じたわけです。

それらのうち漢音と呉音というのが主要なもので、こんにちにおいても最も多くもちいられている。

さきに、日（ニチ、ジツ）、人（ニン、ジン）などの例をあげました。上が呉音、下が漢音です。「日《にち》」は、毎日、日常など。「日《じつ》」は、本日、休日など。「人《にん》」は、犯人、人相など。「人《じん》」は、人格、美人など。どちらも現在ごく普遍的につかわれています。

全体として一番多いのは漢音です。「漢音」と言ったって漢代の音ということではありません。唐代の音（ことば）です。これがまとまってはいってきたのは平安時代のはじめのころ。弘法大師に代表されるような留学生たちがおおぜい唐の都長安へ行って、あちらのことばを学んできて日本にとりいれた。まあ近代で言えば、えりぬきの優秀な留学生たちが世界最高の財富と文化とをほこる英国のロンドンへ行って、キングスイングリッシュを学んで日本に帰って、これこそが正しい英語、とひろめたようなものだ。

で、優秀な若者たちが、目もくらむような財富と文化とをほこる長安へ行って、長期滞在して、もちろんことばもペラペラになって、日本に帰ってそれぞれ高い地位について、日本の政治と文化とを指導した。その際に、長安で学んできた漢語を「正音《せいおん》」（正しい中国の発音）としてひろめた。朝廷（つまり当時の日本政府）も「正音を学べ」「正音にしたがえ」と全国に指令した。これが「漢音」です。

右数行に出てきた字（ことば）で言えば、若《ジャク》、文《ブン》、行《カウ》、正《セイ》というふうによむのが漢音。呉音なら、若《ニヤク》、文《モン》、行《ギヤウ》、正《シヤウ》です。

漢音以前の数百年間にはいっていたのが呉音である。つまり呉音のほうがふるい。漢音が短い期間に系統的にはいってきて、網羅的でありかつ整然としているのに対して、呉音はながいあいだに断続的にバラバラにはいってきたものだからとりとめがない。

この「呉音」という呼びかたはあとでつけたものである。呉《ご》は長江下流域地方、現在の江蘇省あたりをさす語です。春秋時代に呉《ご》の国があったところなので、その後もずっとあのあたりを呉と言う。むかしの日本人は呉《くれ》と言っていた。「くれなゐ」（呉《くれ》の藍《あゐ》）、「くれはとり」（呉《くれ》の機織《はたをり》）などの呉《くれ》ですね。

西暦の三世紀ごろから六世紀ごろまで、支那は南北朝の時代である。北朝は異民族王朝で、日本はつきあいがない。漢人の南朝は王朝が六つ交替したから六朝《りくちよう》時代という。いまの南京《ナンキン》に都があった。この地方の発音だというので「呉音」と言ったわけだ。

日本はこの南朝とつきあいがあって言語や文化をとりいれていたのだが、海を越えて直接にではなく、朝鮮経由である。だから、呉音とは言ってもはたしてどれだけ正確に呉の地方の発音がつたわったものか、はなはだ疑問である。日本の最高級の知識人が直接長安へ行って学んで持ち帰った漢音とはわけがちがう。呉音というのは、言ってみれば、ホンコン経由で長期にわたってバラバラにはいってきた英語みたいなものである。

呉音は朝鮮経由だが、朝鮮から直接じゃなくて対馬を経由してはいってきたから「対馬音《つしまおん》」とも言う。漢音を正音とする人たちはこれを「和音《わおん》」とも呼んだ（「倭音《わおん》」とも書く）。これは「日本なまりの発音」「野暮な発音」という軽蔑した呼称である。

平安はじめに留学生たちが長安の発音を持って帰ってきて呉音を排斥したから、それまでの呉音はたいてい漢音にとってかわられた。まあ言ってみれば、ロンドン帰りのバリバリが「コップじゃない、カップだ。ガラスじゃない、グラスだ」とかたっぱしからなおしてまわったみたいなものです。

それでもなにしろ呉音はそれまで何百年にもわたっておこなわれていたものだから、けっこうのこった。たとえば「正直」。呉音でシャウヂキ、漢音ではセイチョクだが、その後も一般にはシャウヂキ（ショージキ）のほうがおこなわれている（カッコ内は現在の発音。以下はいちいちことわりません）。

一番まとまってのこったのは仏教方面、ついで医術方面ですね。

仏教方面は、「如来」のニョライ（漢音ならジョライ）、「供養」のクヤウ（漢音ならキョウヤウ）、「諸行無常」のショギャウムジャウ（漢音ならショカウブジャウ）、「牛頭馬頭」のゴヅメヅ（漢音ならギウトウバトウ）など、呉音の仏教語は何百も何千もある。仏教関係のことばの時だけ呉音で言う、という字も多い。「清」はふつうはセイだが「六根清浄」はロクコンシャウジャウ（ロッコンショージョー）とか、「精」もふつうはセイだが「精進料理」はシャウジンレウリ（ショージンリョーリ）とか。

医術方面は、「外科」のゲクヮ（漢音ならグヮイクヮ）、「小児科」のセウニクヮ（漢音ならセウジクヮ）など。

そのほか書名や人名などの固有名詞も、呉音ですっかり定着していたために、いくら新帰朝の知識人がやかましく言っても、ついに漢音になおらなかったものがいくらかあります。書名では「淮南子」のヱナンジ（漢音ならワイナンシ）、「文選」のモンゼン（漢音ならブンセン）、人名では「孔子」のクジ（漢音ならコウシ）、「鄭玄」のヂャウゲン（漢音ならテイゲン）など。

一般に、呉音は音がやさしく耳にこころよい。漢音は音がかたく、ゴッゴッしている。「老若男女」は呉音でラウニャクナンニョ（ローニャクナンニョ）、漢音でラウジャクダンヂョ（ロージャクダンジョ）、「明日」は呉音でミャウニチ（ミョーニチ）、漢音でメイジッ、「図絵」は呉音でヅヱ（ズエ）、漢音でトクヮイ（トカイ）といったふうに。「人生」も「人情」も呉音でニンジャウ、漢音でジンセイだが、ニンジャウ（ニンジョー）はやわらかく、ジンセイはかたい。同じことでも漢音の武人《ブジン》よりも呉音の武者《ムシャ》のほうが、ずっとやわらかくておもむきがあるでしょ？

長安は隋および唐の都だが、国土全体のなかでは、いちじるしく西北にかたよった辺境である。南北朝の戦いで北朝が勝ち、北方異民族系の隋および唐が天下をとったために、六朝文化の中心たる南方から遠く離れた西北辺境が国都になった。ちょうどむかしの日本で、おなじ日本語と言っても、京都を中心にした畿内のことばは音のひびきがやさしく上品で耳にこころよいのに対して、東国のことばはひびきが強くゴッゴッとがっていたのとおなじで、長安のことばは音が強かった。日本の留学生たちが懸命に学んで故国にもたらしたキングスチャイニーズはそういうことばであったから、漢音は音が強いのである。

なおすべての漢字に漢音と呉音がそろっているわけではなく、漢音も呉音もおなじ、という字もある。右に出てきたので言えば、「漢」は漢音も呉音もカン、「学」は漢音も呉音もガク、「東」は漢音も呉音もトウです。しかし多くの字は両方ある。やはり右に出てきた字で言えば、「内」はダイとナイ(上漢音、下呉音)、「品」はヒンとホン、「命」はメイとミャウ、「京」はケイとキャウ、といったふうに。

平安時代はじめに呉音が排斥されて漢音がとってかわったと言ったが、それとおなじことが(平安はじめほど大規模ではないけれども) 明治のはじめごろにあった。これは政府が推奨したわけではないが、一般の人たちが日常につかっていた呉音ことばが、漢学先生流の漢音ことばにとってかわられたのである。「停止」をチャウジ(チョージ)と言っていたのがテイシに、「開発」をカイホツと言っていたのがカイハツに、といったふうに。「孔子」がクジからコウシになったのもこの時期です。

なおついでにいくつか、明治以後になって呉音から漢音にかわった例をあげておきます。まず呉音、矢印のあとが漢音です。直接発音でしるします。

学生ガクショー→ガクセー。音声オンジョー→オンセー(ただし「大音声」はいまの人でもたいていダイオンジョーと呉音で言うでしょうね)。決定ケツジョー↓ケッテー。有為ウイ↓ユーイ、永劫ヨーゴー↓エーゴー。快楽ケラク↓カイラク。言語ゴンゴ↓ゲンゴ(ただし「言語道断」はいまでもゴンゴドーダン)。後世ゴセ↓コーセー(ただし後世《ごせ》と後世《こうせい》とは意味用法がちがう)。

呉音以前、漢音以後

日本の漢字音は漢音と呉音とでほとんどすべてだが、呉音以前および漢音以後の音でこんにちのこっているものも、いくらかあります。呉音以前のは前に言った相《さが》みたいなので、これはごくすくない。世のなかの様相のことを「世《よ》の相《さが》」と言うが、こういうのはほとんど和語あつかいである。呉音以前の音はたいていこの「さが」のように完全に日本語にとけこんでしまっている。馬《うま》、梅《うめ》、銭《ぜに》、竹《たけ》のように。なお「和語」は、本来の、純然たる日本語。

漢音以後のは「唐音」あるいは「唐宋音」と言う。唐音とか唐宋音とか言っても、唐代宋代の音、ということではありません。南宋から元、明のころの漢語が鎌倉室町のころの日本にはいってきた(たいていは僧侶がつたえた)ものだが、それを「唐音」「唐宋音」と称しているのです。これまでに言ったものでは、鈴《りん》、燈《どん》、請《しん》、それに椅子や様子の「子《す》」などがそうである。坊さんがつたえただけに、行脚《あんぎゃ》とか看経《かんきん》とか払子《ほっす》とかいった仏教関係のことばが多い。

日本では、中国からわたってきた文字がそれぞれに持っている音を「字音《じおん》」と言う。たしかに字の音《おん》であるに相違ないが、しかしそれらは本来みな、一つ一つの単語なのである。ただそれが日本へくると、日本語の音の種類がすくなくて本来ことなった音がおなじ音になってしまうことや、本来一つ一つのことばがみな持っている声調が日本では無視され消えてしまうことなどから、意味を失ったただの「音《おん》」になってしまうのだ。生、静、整、西、省、成、性、青、星、政、制、盛、……、これらはみな一つ一つのことばである。もちろんどれも個別の意味を持っているし、音もそれぞれみなちがう。ところがそれが日本では、みなひとしなみに「セイ」になる。そうすると「セイ」はあんまり守備範囲がひろすぎてもはや意味を持ち得ず、単なる「音《おん》」になってしまう、とそういうわけなのである。

入声《にっしょう》とはなにか

右に、漢語の一語一語はみなそれぞれの声調を持っているのだが、日本漢字音では消えてしまう、と言った。厳密に言うと、全部が全部消えたのではなく、「入声《にっしょう》」という声調だけは保存された。そのことをちょっと申しておきましょう。入声《にっしょう》だなんて聞いたこともないむつかしげなことばが出てきたぞ、と逃げ出さないでくださいね。用語はむつかしげでも話を聞いてみればなんでもないことなんだから。

唐代のころの漢語を「中古漢語」というのでしたね。その中古漢語の声調は四種類あった。平声《ひょうしょう》、上声《じょうしょう》、去声《きょしょう》、入声《にっしょう》の四つである。つまり、すべての単語はこの四種のどれかに属していた。

これらのうち、平声、上声、去声の実際の音調がどのようなものであったかの話をし出すとこれはなかなかめんどうなのだが、それは当面の問題でないし、どっちにしても日本では消えてしまったのだから、おおむね平声はたいらな音、上声はあがる音、去声はさがる音、と承知しておいていただければ十分です。

話は日本漢字音に保存された入声のことだ。これは一語のおしまいにp、もしくはt、もしくはkの子音がつく音です。

さいわい英語にもこの種のことばはいっぱいあるからわかりやすいね。まずpでおわる単語は、top, cap, ship など。tでおわるのは but, cat, hit など。kでおわるのは look, back, kick など。こういうことばが中古漢語にもたくさんあった。こういうふうに一語のおしまいのところがつまるのも声調の一種で、これを「入声」と言うのです。日本人が言うんじゃないよ。千何百年も前にむこうの学者がそう名づけたのだ。

なんべんも言うように、日本人はこういう発音ができないんですよね。だから全部あとに母音をくっつけちゃう。topは「トップ」、hitは「ヒット」、backは「バック」というふうに。いまはpとkにはuを、tにはoをつけるにほぼきまっているが、以前はkにはiをつけて言うことも多かった。インキ、ケーキ、チッキ、ステッキ、ストライキのように。

千数百年前にもおなじことがあった。pにはuを、tとkにはiもしくはuをつけて発音した。

pの入声はその後変化したからあとまわしにして、現在もそのままおこなわれているt入声とk入声のことを先に申しましょう。

まずt入声。

これにiがついたのは、一（イチ）、七（シチ）、八（ハチ）、吉（キチ）、律（リチ、律儀）、結（ケチ、結縁）、日（ニチ）、節（セチ、お節《せち》料理）など。uをつけたのは一（イツ、統一）、律（リツ、法律）、結（ケツ、帰結）、日（ジツ、当日）、節（セツ、季節）、骨（コツ）、達（タツ）など。

なお、日本に漢字がはいってきたころのチはti（ティ）、ツはtu（トゥ）の音だった。漢語のまねをしたのではなく、日本語自体のチ、ツの音がそういう音であった。その後現在のチ(chi)、ツ（tsu）の音に変化したのです。

つぎにk入声。

これにiがついたのは力（リキ）、直（ヂキ、正直）、敵（テキ）、積（セキ）、域（イキ）、劇（ゲキ）、駅（エキ）、益（エキ）など。uがついたのは、力（リョク）、直（チョク、直進）、六（ロク、リク）、百（ヒャク）、宅（タク）、楽（ラク、ガク）、陸（リク）、肉（ニク）、菊（キク）など。

以上のように、t入声とk入声とは、千数百年後のこんにちまでほぼそのままのこっています。

p入声はuをつけて言った。つまりcupをコップと言いtopをトップと言うように言ったのだが、これはその後千数百年のあいだにずいぶん変化した。たとえば「急」kipは、最初のうちはキプ（kipu）と言っていた。

——こりゃちょっと、日本語のハヒフヘホのことをさきに言っといたほうがいいですね。日本語自身のハヒフヘホの発音が、この千数百年のあいだによほどかわってきているのです。奈良時代くらいまではp音、つまりpa pi pu pe poだった。「母はむかしパパだった」というのは、みなさんもお聞きになったことがあるんじゃないかしら。赤んぼが一番出しやすい音は脣音《しんおん》（上下のくちびるをはじいて出す音、つまりm音とp音とb音）だから、世界中どの人種の言語でもたいがいお母さんを呼ぶことばは脣音である。英語のmother, ma, mamma, mammyのように。で日本語のハハはpapaだった。そういうふうに、ハ行音は古くはp音だった。ところが奈良平安ごろからくちびるのはじきがよわくなってだんだんf音になった。ハヒフヘホはfa fi fu fe foになった。母はパパからファファになったわけだ。

もっとも厳密に言うと、日本語のf音は英語などのf音とちがって、上の前歯が下くちびるにふれない。上下のくちびるが軽く摩擦して出る音であるから、〔f〕は不正確で〔ɸ〕という記号であらわすのが正しいのですが、fでまにあわせておきますね。日本語のf音は歯とくちびるがふれないのだと承知しておいてください。さきに、江戸時代はじめごろまでは「広い野原」を「フィロイノファラ」と言っていた、と申したのはそういうことです。江戸時代になってから、ハヒフヘホのうちハヒヘホの四音はくちびるがちかづかなくなった。フだけはいまだに軽くふれあう。だから現在のハヒフヘホはha hi fu he hoという変則的なことになっている。もう何百年かしたら（その時まで日本人という種族がなんとか生きのこって日本語をしゃべっていれば）ha hi hu he hoになるでしょう。現在は過渡期です。

そういうふうに、日本語自体のハヒフヘホが、pa pi pu pe poからfa fi fu fe foに、さらにha hi fu he hoにと変化してきている。急kipという漢語が最初に日本にはいってきたのはpa pi pu pe poの時代であるから、kipに母音uがついてkipuと発音されていたが、これがやがてキフ(kifu)になった。そのうちにfが脱落してキウ (kiu) になった。これが長音化してキュー(kyū) になって現在にいたっている。「とび出すな車はキューにとまれない」のキューですね。「キプ」から「キュー」になったのだから相当な変化でしょ？　もっとも千何百年もの時間がかかってます。

もう一つ例をあげると「蝶」tep。同様の経過で、最初はテプ（tepu）、それからテフ（tefu）、ついでテウ（teu）、そして現在のチョー（chō）にいたっている。「チョーチョ、チョーチョ、なのはにとまれ」のチョーですね。

雑巾と雑学

このp入声についてはなおまだおもしろいことがある。日本へ来てから、pがtになったものがかなりあるのだ。

たとえば「雑」zap。これは、すなおに変化したほうは上の「急」や「蝶」とおなじで、母音uがついてザプ（zapu）、それからザフ（zafu）、ついでザウ、そしてゾーになった。雑巾（ゾーキン）、雑兵（ゾーヒョー）、雑木林（ゾーキバヤシ）などのゾーだ。

ところがいっぽうで、途中の経過は複雑だから省略しますが、zapがzatになった。そして母音uがついてzatsuになった。「雑学」とか「複雑」「混雑」などのザツだ。だから「雑」は「ゾー」と「ザツ」と両方ある。もとはzapなんだから「ゾー」が正系、「ザツ」はまあ言ってみれば横から生えたひこばえみたいなものだが、いまではこっちのほうがいばっていますね。

もう一つ例をあげれば「立」lip。これがリプ（lipu、日本人の発音だからむしろripu）、リフ（rifu）、リウ（riu）と変化して現在リュー、すなわち「建立」のリュー、これが正系だ。lipからlit（rit）になってリツになったのが傍系だが、設立とか国立とか、これもいまは傍系のほうが繁盛している。

あとおなじことだから経過は全部省略しますが、「執」のシュー（執念、妄執）とシツ（執行委員会）、「合」のゴー（合同）とガッ（合併）、「甲」のコー（甲乙丙）とカッ（甲冑）、「納」のノー（納入）とナッ（納豆）など、みなp入声のt転換です。

小生さる週刊誌に毎号駄文を書いているんですが、さきごろある読者（わかいお母さんらしい）から怒りの投書が来た。——子どもが学校にあがった。「本をジュッサツ（十冊）」と言ったら、先生に「ジッサツですよ」となおされた。子どもは家に帰ってお母さんにうったえた。まあなんというひどい先生でしょう、自分のなまりを子どもに押しつけるとは……。「十」は「ジュウ」なんだから「十冊」は「ジュッサツ」にきまっているではありませんか。——というのですがね。もうみなさんおわかりのように、これは無論先生が正しい。「ジュウ」なんだから「ジュッサツ」にきまっている、なんてリクツにも何にもなってませんよね。それじゃ「九」は「キュウ」だから「九冊」は「キュッサツ」ですか。まさかね。

「十」はp入声でjip。日本でジフ（漢音でshipシフだがもっぱら呉音でおこなわれているのでジフとします）。これがジウ、ジューとかわってきているわけですね。傍系のほうはjipからjitになってジッ。つまり「立」のリューとリッ、「執」のシューとシッなどとおなじように、ジューとジッの二本立てになっている。だから、十本、二十軒、三十冊、四十回、五十点と、あとがカ行、サ行、タ行、パ行などのばあいはみなジッになるのです。対して、十人、二十枚、三十円などはジュー。

なお、こうしたptkでおわる音のことをなぜ入声《にっしょう》と言うのか。これは「入」自体がp入声だからこの種の音の代表になっているのです。「入」は呉音でニフ、漢音でジフ。したがって呉音のほうは現在ニューとニッ。だから「入声《にっしょう》」です。漢音のほうはあまりもちいられないがジューとジッ。「入水」をジュスイと言うのはジューがちぢまったもの。ジッは「入魂《じっこん》」ということばがあります。

むかしは、「入声《にっしょう》」というのは学者がつかうカタイ言いかたで、一般には「フックチキ」と言っていた。フ、ツ、ク、チ、キのいずれかでおわることば、ということですね。例は上にいろいろ見たとおり。

ただし漢字の音《おん》だけですよ。「お餅が好き」の「モチ」だの「スキ」だのはいくら「フックチキ」でおわるからといって、「フックチキ」ではない。モチやスキは和語、純然たる日本語です。

なおついでに申しておきます。いま中国で話されている現代漢語（その標準語になっている北方語、日本で「中国語」と言っているもの）には、この語尾につくｐｔｋの音がありません。千数百年のあいだに全部脱落しちゃった。

たとえば上で最初に例にあげた「急」kip、これはｐが脱落してただのkiになった。さらにその後このキがチになった。

小生むかし秋田県に旅行した時、あちらの人が布巾のことをフチンと言うのを聞いて、へえこの地方ではキをチと言うのか、すると「この子はなかなか気が利く」は「チがチく」と言うのかな、と思ったことがある。それはどうだか、つまりすべてのキがチになるのかどうか知りませんが、中国北方（北京を中心とする広い地域）では、すべてのキがチにかわりました。「機器」は「チーチー」です。だから現代漢語では「急」はチー（jí）です。

同様に「十」はシー（shí）、「一」はイー（yī）、「力」はリー（lì）というように、ｐｔｋは全部なくなった。それが日本の漢字音（字音のかながき）では「急」は「キフ」、「一」は「イチ、イツ」、「力」は「リキ、リョク」というふうにｐｔｋ語尾が全部ちゃんとのこっているから「中古漢語の化石」と言われるわけですね。

ずいぶん長い横道でした。

漢字を日本語のなかでもちいるには相当めんどうな加工が必要であった、というお話のつづきは、章をあらためて申しあげましょう。

第二章　日本人は漢字をこう加工した

1　訓よみとかな

漢字が日本にはいってきてから数百年のあいだに、それを日本語を書きあらわす文字としてつかうために、日本人はいくつもの加工をほどこした。

まず、漢語をそのままとりこみ、日本語のなかにまぜてつかった。これは、いまの日本人が日本語のなかに西洋語をまぜてつかうのとおなじことだ。つまり、「天《てん》」とか「仁《じん》」とか「礼《れい》」とかの単語、あるいは「学校」とか「教育」とかの複合語を、そのままの形でもちいたわけである（「学校」や「教育」はあちらでは二千何百年も前からあることばです）。

ただしその際、漢語の発音を、日本人が言いやすいように手なおしした。——手なおししたと言うより、日本流になまった、と言ったほうが実情にちかいでしょうけどね。これも、西洋語の radio が「ラジオ」になり、smart が「スマート」になるようなのとおなじです。この、日本にはいってからの音の変化のことは、前の章でくわしく申しました。

つぎに、漢字を、その意味によって直接日本語でよむことにした。たとえば「山」という字、これを音《おん》でサン（あるいはセン）とよんでいたのであるが、この字のさすものは日本語の「やま」に相当することあきらかであるから、この「山」という漢字を直接「やま」とよむことにしたのである。

これは相当奇抜な所業であり、また一大飛躍であった。

いやまあみなさんは、「山」という字を「やま」とよむのはアタリマエと思っていらっしゃるから、それを奇抜とも飛躍ともお感じにならぬであろうが、しかしですよ、ここにmountainという英語がある。これはマウンテンとよんで山《やま》のことだとみなさん習っていらっしゃるだろうが、えいこのmountainを直接「やま」とよむことにしよう、dogを「いぬ」と、catを「ねこ」とよむことにしよう、となったら、これは相当奇抜で飛躍的でしょ？ そういう大胆な、見ようによってはずいぶん乱暴なことをやった。

ただし、dogを「いぬ」、catを「ねこ」とよむことにして、dog, catの本来のよみを捨ててしまったわけではない。それはそれで、ドッグ、キャットとして受け入れた。

話を漢語にもどすならば、「犬」を「いぬ」、「猫」を「ねこ」とよむことにしたけれども、「犬」は「ケン」、「猫」はベウ（ビョー）という本来のよみも保存したわけだ。

そこでこの両者を区別して、「ケン」のほうを「音《おん》」とよび、「いぬ」のほうを「訓《くん》」とよぶ。「音《おん》」というのは「その字の発音」ということ、「訓《くん》」というのは「その字の解釈、意味」ということである。その「訓」は「日本語による意味説明」なのであるから、かならず和語《わご》、すなわち本来の日本語である。

「訓」がいつごろできたものか、古いことなのでわからない。万葉集では訓を自由自在につかいこなしており、優に百年や二百年、あるいはそれ以上の経験の蓄積があることを思わせる。無論いっときにできたのではなく、長いあいだにぼつぼつできてきたにちがいない。

柿本人麻呂の歌を一つ例にあげましょう。

皇者神二四座者天雲之雷之上爾廬爲流鴨

これで「おほきみはかみにしませばあまくものいかづちのうへにいほりせるかも」とよみます。原文十八字のうち、皇《おほきみ》、者《は》、神《かみ》、座《ます》、者《ば》、天《あま》、雲《くも》、之《の》、雷《いかづち》、之《の》、上《うへ》、廬《いほり》、爲《す》、鴨《かも》、の十四字までが訓である。したがってあとの四字、二《に》、四《し》、爾《に》、流《る》が音である。

訓の十四字のうち「座《ます》」と「爲《す》」は動詞である。「座《ます》」は下が「者《ば》」だから已然形に活用して「座者《ませば》」になる。「爲流《せる》」は動詞「す」の連用形「し」に「あり」がついて縮約した「せり」の連体形（ややこしいですね。小生もこういうのは苦手です）。「爲流《せる》」と、語幹には訓を、活用語尾には音《おん》をもちいている。そりゃそうなるはずだ。漢語には活用語尾なんてものはないんだから──「漢語は変化しない」のでしたね、思い出してください──音《おん》をもちいるよりほかに手はない。「流《る》」はいまでも「流転《るてん》」ということばがありましたね。呉音です。

この柿本人麻呂の歌に出てくる訓十四字のうち特別に奇抜なのが「鴨」だ。これは、漢語「鴨《あふ》」（オー。p入声のことば。フがつくのはp入声、アフ→アウ→オーと変化、思い出してください）のさすものは日本語のカモにあたるので、「鴨」の字をいきなり「かも」とよむ。そこまではふつうの訓だが、その「鴨《かも》」を詠嘆の終助詞「かも」の表記にもちいている。こうなると「鴨」の語義とはまったく無関係だ。

万葉集にはこういう用法がいっぱいある。いまで言えば「お前さん見たね」を「お前さん見種」と書くようなもので、一種のクイズにちかい。ふざけた気分でつかっているのでしょうね。さきに「自由自在」と言ったのはそういうことです。

なお、終助詞「かも」はかならず「鴨」と書く、というのではありません。山部赤人の「みよしののきさやまのまのこぬれにはここだもさわぐとりのこゑかも」は「三吉野乃象山際乃木末爾波幾許毛散和口鳥之聲可聞」、「かも」は音で「可聞」と書いてあります。

訓よみはむずかしい！

ちょっと横道になりますが——

万葉集のような音訓を自在に駆使した書きようは、しゃれているし、余裕が感じられてたのしいが、そのかわりむずかしい。当時の人たちにはなんでもなかったのかもしれないけれど、のちの世の者には非常に難解な、どうよんだものかわからぬ歌がいくらもあることになる。

たとえば天智天皇の有名な歌。


渡津海乃豐旗雲爾伊理比紗之今夜乃月夜清明己曾

「わたつみのとよはたくもにいりひさしこよひのつくよ」までは問題ない。問題はおしまいの「清明己曾」四字だ。と言っても「己曾」は「こそ」にきまっているから、つまるところは「清明」二字である。これをなんとよむのか。

澤瀉久孝《おもだかひさたか》「『清明』攷」（『萬葉古徑』所収）によれば、従来出ている説は左の十三種である（「こそ」をつけて紹介します。主張者、文献は省略）。

すみあかくこそ　すみあかりこそ　さやけしとこそ　あきらけくこそ　さやけくもこそ
きよくてりこそ　きよくてるこそ　さやにてりこそ　きよくあかりこそ　まさやけくこそ

まさやけみこそ　きよらけくこそ　さやけかりこそ

「清明」二字をよくもこう多彩によんだものだ。しかも澤瀉博士はこれらを全部否定して「まさやかにこそ」を主張している。第十四説です。

「ほんとのところは天智天皇にきいてみなくちゃわからないんじゃないの」と言いたくなりますね。でもそれは無理だから学者が苦心するわけだ。――え？　なんですか？　天智天皇もそんな人騒がせなことをしないで初めからかなで書いとけばいいのに、ですって？　いやちょっと待ってくださいよ。かなはまだないんです。天智天皇の時にも、万葉集ができた時にも、文字は漢字しかない。その段階のお話をいましてるところなんだ。

右の天智天皇の歌、二十二字で書いてあって、うち音《おん》は、爾、伊、理、比、紗、之、己、曾の八字、あとの十四字は訓である。訓はすなわち日本語であり、その日本語のところがむずかしい。おなじ「夜」の字をつかってあっても、「今夜」は「こよひ」で「月夜」は「つくよ」だ。むずかしいでしょ？　対して音のところはやさしい。「伊理比紗之」は「いりひさし」（入日さし）としかよみようがない。

もちろん、いつも二十二字程度で書くとはきまっていません。「玉響昨夕見物今朝可戀物」なんてごく短いのもある。これで「たまかぎるきのふのゆふべみしものをけふのあしたにこふべきものか」とよむ。むずかしいですね。全部訓です。

対して『古事記』や『日本書紀』に出てくる歌は一字一音で書いてある。スサノヲノミコトがクシナダヒメと結婚して新居をいとなんだ時の歌。古事記では、

夜久毛多都伊豆毛夜弊賀岐都麻碁微爾夜弊賀岐都久流曾能夜弊賀岐袁
やくもたついづもやへがきつまごみにやへがきつくるそのやへがきを

日本書紀では、

夜句茂多菟伊弩毛夜覇餓岐菟磨語味爾夜覇餓枳菟俱盧贈迺夜覇餓岐廻
やくもたついづもやへがきつまごめにやへがきつくるそのやへがきゑ

おしまいの「を」(wo)もしくは「ゑ」(we)は間投助詞です。

歌は古事記と日本書紀とでちょっとちがうところがあり、文字は大いにちがうが、しかしどちらも一字一音だからまぎれがなく、確実である。天智天皇の歌もこの方式で書いてあれば後世の学者が頭をなやますことはなかった。そのかわり文字の意味とことばの意味との関聯性はまったくない。「渡津海乃豊旗雲《わたつみのとよはたくも》」なら字の意味が語の意味だが、「夜弊賀岐《やへがき》」であれ「夜覇餓《やへが》

岐《き》」であれ「やへがき」という音をあらわしているだけで「八重垣」の意味はない。無味乾燥だが決してまちがいがなく科学的、という感じがしますね。

右の「伊豆毛夜弊賀岐」「伊弩毛夜覇餓岐」のように、漢字の意味を捨て、ただの音符（発音符号）として漢字をもちいて日本語をかきあらわすやりかたを「万葉がな」と言う。漢字の音をもちいることが多いが、訓をもちいることもある。一字一音が多いが、一字二音もある。前にあげた柿本人麻呂の歌、「いほりせるかも」の「かも」を「鴨」とかいたのは訓であり、一字二音である。

「万葉がな」と言っても万葉集にのみもちいられたのでないことは右に見たとおり。

「かな」は漢字では「假字」もしくは「假名」とかく。「假《か》」は假借《かしゃ》（さきに申しました）の假《か》で、臨時、かりそめの意。「字《な》」も「名《な》」も文字の意。漢字はみな意義を持っておりその意義によってもちいるべきものであるのに、それを一時的に単なる音符としてもちいるのだから「臨時」「かりそめ」なのである。

ゴチャゴチャの対応

もとにもどります。

漢字の訓《くん》——日本語の意味をそのままその字のよみとする——というものが発生した、というお話の途中でした。「神」を「かみ」、「雲」を「くも」、「雷」を「いかづち」とよむようなのが訓であった。

このことは相当複雑な事態をまねいた。というのが、漢語と日本語とのそれぞれの単語がどれもこれもうまく一対一で対応しているわけがない。「雲」と「くも」、「猫」と「ねこ」などは一対一だが、こういうしあわせなのはそう多くない。早い話、漢語には「犬」ということばと「狗」ということばとがあるが、日本語には「いぬ」一つしかない。逆に日本語には二つ以上の単語があるが、漢語にはそれに相当する単語が一つしかないばあいもある。総じて言えば漢語のほうが発達した言語だからことばの数が多く、日本語はすくないから一つで多数に対応しなければならないばあいが多い。「犬」と「狗」とは別のことばだのに、訓でよむ際はどちらも「いぬ」とよむほかない。「犬」と「狗」とは、「いぬ」という一つのことばの両種のかきかたみたいなことになってしまう。

もっとも実際には、一対一か一対二か一対三か、というような単純なことではなく、もっとややこしい。ちょっと英語に例をとると、人が口から意味のある音声を発することを言う語は、say, tell, talk, speak, chatter, express, state などがある。日本語には「いう」「はなす」「かたる」「のべる」「しゃべる」「つげる」「ほざく」などがある。この対応関係は甚だ複雑である。単語だけを孤立してとり出してもしょうがない。前後の脈絡を見なければならぬが、どれかがどれかにピッタリ、というわけにゆかぬことはたしかである。「訓」というのはそれを強引に、say は「いう」とよむ、speak は「はなす」とよむ、というふうにきめてしまったものである。

漢語では「言《げん》」（yán）「云《うん》」（yún）「謂《ゐ》」（イ、wèi）「曰《ゑつ》」（エツ、yuē）「道《だう》」（ドー、dào）「説《せつ》」（shuō）「講《かう》」（コー、jiǎng）などがあり、それぞれみな別のことばなのであるが（あたりまえだ。say, speak, talk 等々が別のことばであるのとおなじ）、言、云、謂、曰、道はみな「いふ」（ユー）という訓にしている。「説」は訓「とく」。日本語の「いふ」と「とく」とはかなりの意味のへだたりがあるが、それと同質同程度のへだたりが言、云、謂、曰、道と説とのあいだにあるわけではない。

あるいは、動きが上方にむかうのを日本語で「あがる」と言い、また「のぼる」と言う。人が他者もしくは物を上方にむかわせるのを「あげる」と言う。「あがる」「のぼる」は自動詞である。「あげる」は他動詞だから目的語をとる。「タンスを二階にあげる」のごとく。

漢語には「あがる」と「あげる」のごとき自動詞他動詞の差別はない。動きが上方にむかう（むかわせる）ことを言う語には、上《じやう》（shàng）「升《しよう》」（昇もおなじ、shēng）「登《とう》」（dēng）「騰《とう》」（téng）「陟《ちよく》」（zhì）「挙《きよ》」（jǔ）「昂《かう》」（áng）「揚《やう》」（yáng）「矯《けう》」（jiǎo）「提《てい》」（tí）「晋《しん》」

(jìn)「擡《たい》」(tái)「漲《ちやう》」(zhǎng)「起《き》」(qǐ)「掲《けい》」(jiē)「攀《はん》」(pān)「爬《は》」(pá) などがある。無論みな意味がちがう。そりゃそうだ。動きが上方にむかうと言っても、煙が空へのぼってゆくのもある。人が石段をあがるのもある。山にのぼるのもある。物価があがるのもある。役人の地位があがるのもある。旗をあげるのもあり、地面においてあるものを手で持ちあげるのもある。ことばがちがうのは当然である。右にいっぱい漢字をならべたてたのは、こういう漢字をおぼえろとか、知らないと一人前の日本人でないとかいうのではない。ふつうの日本人がこんな漢字をおぼえるのは無意味である。一つ一つの字に現代漢語音をつけたのは、みな別のことばなのだということを示したいがためである。日本の漢字音をつけただけでは、単なる「字のよみ」みたいに受けとられかねない。これらはみな「ことば」なのである。字はその「ことば」を表記したものなのだ。

　そしてまた、右にいっぱい漢字をあげたのは、上に言ったごとく、一つの言語と別の一つの言語（日本語と英語とか、日本語と漢語とか）の単語の対応関係というのは、「雲」は「くも」、「猫」は「ねこ」というような単純な一対一関係はめったになく、たいがいはゴチャゴチャに対応しているのだということを示したかったからである。

　右の例で言うと、上、挙、昂、揚、騰は「あがる」と訓をつけている。上、挙、昂、揚、矯、は「あげる」と訓をつけている。上、升、登、は「のぼる」と訓をつけている。ほかに提は「さぐ」(さげる)、晋は「すすむ」、擡は「もたぐ」(もたげる)、漲は「みなぎる」、掲は「かかぐ」(かかげる)、「攀」は「よづ」(よじる)と訓をつけている。

これを逆に見れば、「上」には「あがる」「あぐ」(あげる)「のぼる」の三つの訓がついている。対応は、一対一、一対二というような単純なものではないのである。

さきに、漢語は変化しないと言った。「上」は上方への動きでもあり上方でもある。したがって「上」には「うへ」(うえ)「かみ」の訓も当然つく。「上」という漢語は一つのことばだが、合計五つの訓があることになった。

最も訓の多いのは多分「生」で、うむ、うまる(うまれる)、いく(いきる)、はゆ(はえる)、おふ(生《お》ひたち)、なす(生《な》さぬ仲)、ある(ひつぎのみこは生《あ》れましぬ)、き(生薬《きぐすり》)、ふ(芝生《しばふ》)、なま、うぶなど十種あるいはそれ以上の訓がある。「生」(shēng)という漢語は一つなのだが、そのことばをあらわす「生」という字に、こんなにたくさんの日本語がくっついたわけである。

よく、漢字はむずかしい、と言う。たしかにむずかしい。しかしもともとむずかしいのではない。漢字は漢語を書きあらわすためにできた文字である。その漢字は、何もむずかしいものではない。生《ション》ということばがあり、それをあらわす「生」という字がある、というごく単純なことなのである。その漢字が日本にはいって、氏も素姓もまるでことなる日本語を書きあらわす文字としてつかわれることになってむずかしくなったのであるから、「日本の漢字はむずかしい」と言うべきである。漢字の罪ではない。

一つには、漢字が長期にわたって日本にはいったために、呉音生《シヤウ》（ショー）と漢音生《セイ》と二つの音《おん》ができたことによるむずかしさもあるが、それよりもはるかに、漢字に訓がくっついたことによってむずかしくなった。

訓というものができた、「山」を直接「やま」とよみ、「雲」を直接「くも」とよむようになった、と言うと話はいともかんたんなようだが、ことばの対応関係というものがからんでくるから、これは非常に複雑な、めんどうな、ややこしいことなのだ。

上に、日本語の「あがる」「のぼる」にあたる漢字にはこんなのがあると多数列挙したのを見てウンザリしたかたが多いであろう。いや多いどころかどなたも全員ウンザリしたことと思うが、そういうウンザリするほどめんどうであることを示したかったのである。

和語に漢字をあてるおろかさ

よくわたしにこういう質問の手紙をよこす人がある。――「とる」という語には、「取る」「採る」「捕る」「執る」「摂る」「撮る」などがあるが、どうつかいわければよいか、教えてください。あるいは、「はかる」には、「計る」「図る」「量る」「測る」などがあるが、どうつかいわけるのか教えてください。

わたしはこういう手紙を受けとるたびに、強い不快感をおぼえる。こういう手紙をよこす人に嫌悪を感じる。こういう手紙をよこす人は、かならずおろかな人である。おそらく世のなかには、おなじ「とる」でも漢字によって意味がちがうのだから正しくつかいわけねばならない、などと言って、こういう無知な、おろかな人たちをおどかす人間がいるのだろう。そういう連中こそ、憎むべき、有害な人間である。こういう連中は、たとえばわたしのような知識のある者に対しては、そういうことを言わない。「滋養分をとる」はダメ、「摂る」と書きなさい、などとアホなことを言ってくるやつはいない。ほんとに自分の言っていることに自信があるのなら知識のある者に対してでも言えばよさそうなものだが、言わない。もっぱら自分より知識のない、智慧のあさい者をつかまえておどす。

「とる」というのは日本語（和語）である。その意味は一つである。日本人が日本語で話をする際に「とる」と言う語は、書く際にもすべて「とる」と書けばよいのである。漢字でかきわけるなどは不要であり、ナンセンスである。「はかる」もおなじ。その他の語ももちろんおなじ。

もし英米人が英語の文章を書く際に、たとえばtakeというやさしいことばの書きように頭を悩ませ、I take umbrella. の take は漢語の「帯」に相当するからとて I take 帯 umbrella. と書き、I take salary. の take は漢語の「領」に相当するから I take 領 salary. と書き、I take medicine. の take は漢語の「服」に相当するから I take 服 medicine. と書き、take photograph の take は……といちいちそのばあいに相当する漢語をくっつけて書いていたとしたら、あなたはきっと、こいつアホじゃなかろうか、と思うであろう。英語の take は take であって、それがそのばあい漢語の何という語に相当しようと頓着することはちっともないにきまっている。日本語のばあいだっておなじである。純粋の日本語を書く時まで、ここは中国人だったら何という動詞をあてるだろう、と頭を悩ます必要なぞさらさらないのである。

かなの誕生

漢字はながい歳月をかけて日本にはいった。その漢字には音と意味がついているのだから、漢字がはいってきたのは漢語がはいってきたということでもある。

日本人はこれを利用し、またこれに加工をほどこした。まず、漢語をそのまま日本語にまぜてつかった。つぎに、漢字に訓をつけた。——ここまでにお話ししたのは以上のことでしたね。

ついで日本人は、漢字の字形を簡略化して「かな」をつくった。かなはまた「かなもじ」とも言うが、上に言ったようにかなの「な」は文字のことなのだから、「かなもじ」というのは若干重複のきらいがある。

このかなを、いまも「仮名」と書く人が多い。そう書かねばならぬと思っている人もあるようだが、それはまちがいである。かなで「かな」と書けばよろしい。これもさきに言ったように、「假名」の「假」は、ほんとうでない、臨時の、まにあわせの、という意味である。こんにちの日本のかなは、臨時やまにあわせではなく、日本語の文章を書く際の主要な、まともな文字なのだから、もう「假」の字をもちいることはない。

ただ、かながきの「かな」は文章のなかで目立たないので前後にまぎれやすい弱点があるが、これはかな文一般の弱点なのでやむをえない。

ついでに申すと、前後にまぎれやすい、というかなの弱点を克服するために、山田忠雄先生のようにわかちがきを提唱し実行している人もあるが、これは印刷技術の上でなかなかむずかしい。戦後文章のなかにカタカナをまじえる人がふえてきたのはこの弱点をすこしでも克服するためである。「かれはにこやかにあいさつした」を「かれはニコヤカにあいさつした」あるいは「かれはにこやかにアイサツした」と書くと、語のくぎりがハッキリしてよみやすい。むかしは漢字でくぎりをつけたのだが、漢字はなるべくつかわぬほうがよいから（すくなくともわたしはそういう考えである）かわりにカタカナでくぎりをつけようとするのである（こうした傾向は伊藤整あたりからはじまるのではなかろうか）。

なおまたついでに申しておきます。漢字をよく知っている人は漢字の多い文章を書く、と思っている人があるようだが、それは逆である。漢字の多い文章を書くのは、無知な、無教養な人である。これは、第一に、かなの多い文章を書くと人にバカにされるんじゃなかろうかと不安を感ずるからである。第二に、漢字をいっぱいつかった文章を書くと人が一目おいてくれるんじゃないかというあさはかな虚栄ゆえである。第三に、日本語の本体は漢字で、どんな日本語でもすべて漢字があり漢字で書くのがほんとうだと信じこんでいる無知ゆえである。ボラはどう書くのムジナはどう書くのナメクジはどう書くのと言っているのは、かならずこういう程度のひくい連中である。ワープロが普及してからいよいよこういう何でも漢字を書きたがる手合がふえてきた。

——いやだいぶ横道にそれてしまいました。小生は、かなはかなで「かな」と書く、ということです。

さきに万葉がなのことを申しました。「やくもたついづもやへがき」（八雲立つ出雲八重垣）を「夜久毛多都伊豆毛夜弊賀岐」と書くようなのが万葉がなであった。

かなというのはこの万葉がなが発展（あるいは変身）してできたものかというと、そうではない。「夜久毛多都伊豆毛夜弊賀岐」なんて書くのは手間がかかってかなわんから、かんたんに「やくもたついづもやへがき」あるいは「ヤクモタツイヅモヤヘガキ」と書くことにしよう、ってんでできたわけじゃない。そもそも、だれかが「かなというものをつくろう」と計画的につくったものではない。自然にできてきたのである。かなはいまひらかなとカタカナと二種類あるが、はじめから「二種類つくっておいたらなにかと便利だぞ」ってんでできたわけでもない。

かなは、本の行間にチョコチョコッと書きこみをするところからうまれた。本と言ったってもともと日本に本はないのだから、中国から来た本ですね。無論漢字ばっかりだ。お経などもそうです。そうそう、「本」と言うとみなさんは、紙に字を印刷してとじた、現在の本を思いうかべるかもしれないが、そうじゃない。まあ巻物が多いでしょうね。本というより「書物」「書籍」と言っときましょうか。紙に字を書いたもので、相応の分量のあるものです。みなさんが思いうかべる「本」は印刷術が普及してからあとのものである。

書物への書きこみというのは、みなさんが学生のころ、英語の教科書や参考書に、単語の訳などをチョコチョコと書きこんだでしょ？　たとえば large のそばに「大きい」、small のそばに「小さい」といったふうに。ああいうものだ。

で、むかしの日本人のばあい、書物の文章はお経でも何でもとにかく漢字ばかりだ。そして書きこむのは——やっぱり漢字だね。漢字しかないんだから。日本語を漢字で書く。行間だから場所はせまいし、手っとりばやく書けるほうがいいし、自分にさえわかればよい心おぼえなんだから、ごく簡略化して書く。たとえば「阿」を書くのに、左がわの「阝」だけを書く。「阝」のつく字はいっぱいあるから、「阝」だけでは「防」だか「院」だか、あるいは「部」だか「都」だかわかりゃしないが、自分にさえわかればいいんだから、「阝」は「阿」の略、と勝手にきめておく。その「阝」もキチンと書くんじゃなくて手ばやくサッと書くから長めの「ア」みたいな形になる。

あるいは「伊」の左がわの「亻」だけ、もしくは右がわの「尹」だけを書く。これなら手間もかからないし場所もとらない。

漢字の簡略化には大きくわけて二つのやりかたがある。一つは「阿」を「阝」、「伊」を「亻」、「宇」を「宀」というふうに、部分をとるやりかただ。もう一つは全体の姿はそのままに、部分を省略するやりかた。これは草書からきている。「以」を「い」、「呂」を「ろ」、「波」を「は」などがそうである。だいたいにおいてカタカナは部分どり、ひらかなは全体どりでできている。

岡井慎吾博士の『日本漢字學史』にごく初期のころのかなが図版で出ているのでお目にかけ

ましょう（九四ページ）。天長点とあるのは成實論《ジヤウジツロン》という仏書への天長五年（西暦八二八年）の書きこみ、元慶点とあるのは地藏十輪經《ヂザウジフリンキヤウ》への元慶元年（同八七七年）の書きこみ。のちのカタカナもあるしひらかなもあるし、もちろん消えてしまったのも多い。

カタカナにせよひらかなにせよ系統的組織的にできたものではなく、散発的恣意的にできたものだから、ぐあいのわるいところはいろいろあるよね。カタカナのニは漢字の二とまぎらわしい。カタカナのエとユはまぎらわしいし、コとユもまぎらわしい。へはカタカナもひらかなもおんなじだ。ひらかなの「ら」と「ろ」と「る」、「わ」と「れ」と「ね」もよく似ていてまぎらわしい。

なお今の人はカタカナもひらかなも一音一字だと思っているが、そうなったのは明治のなかばごろ、つい百年ほど前からだ。それまでは二字も三字もあった。例として漱石の『坊っちゃん』の原稿の写真をかかげます（九五ページ）。見てください。ひらかなもみなさんの知っているのとはちがうのがいろいろあることがわかるでしょ？

neのカタカナは「子」と「ネ」とあって「子」のほうがよくつかわれていたが、明治のなかば以後「ネ」に一本化された。毎年九月になると新聞に長寿番付が出ますね。カ子さんとかミ子さんとかのおばあさんの名が出る。ところが新聞記者は無知だから、カタカナの「子」を漢字の「子」とまちがえて「カ子」とか「ミ子」とか書いている。これじゃカコさんミコさんに

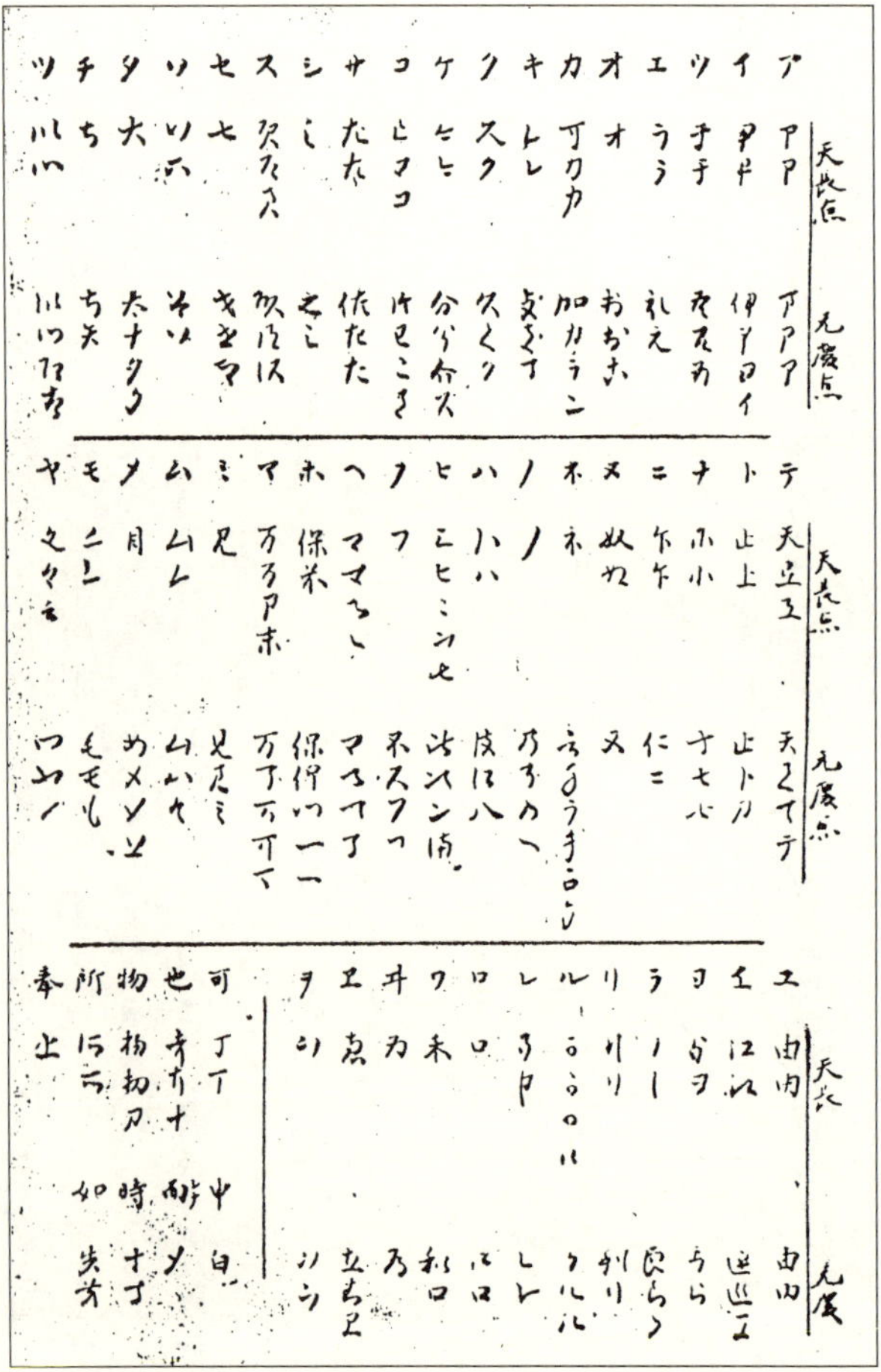

ごく初期のころのかな
（岡井慎吾著『日本漢字學史』明治書院刊より）

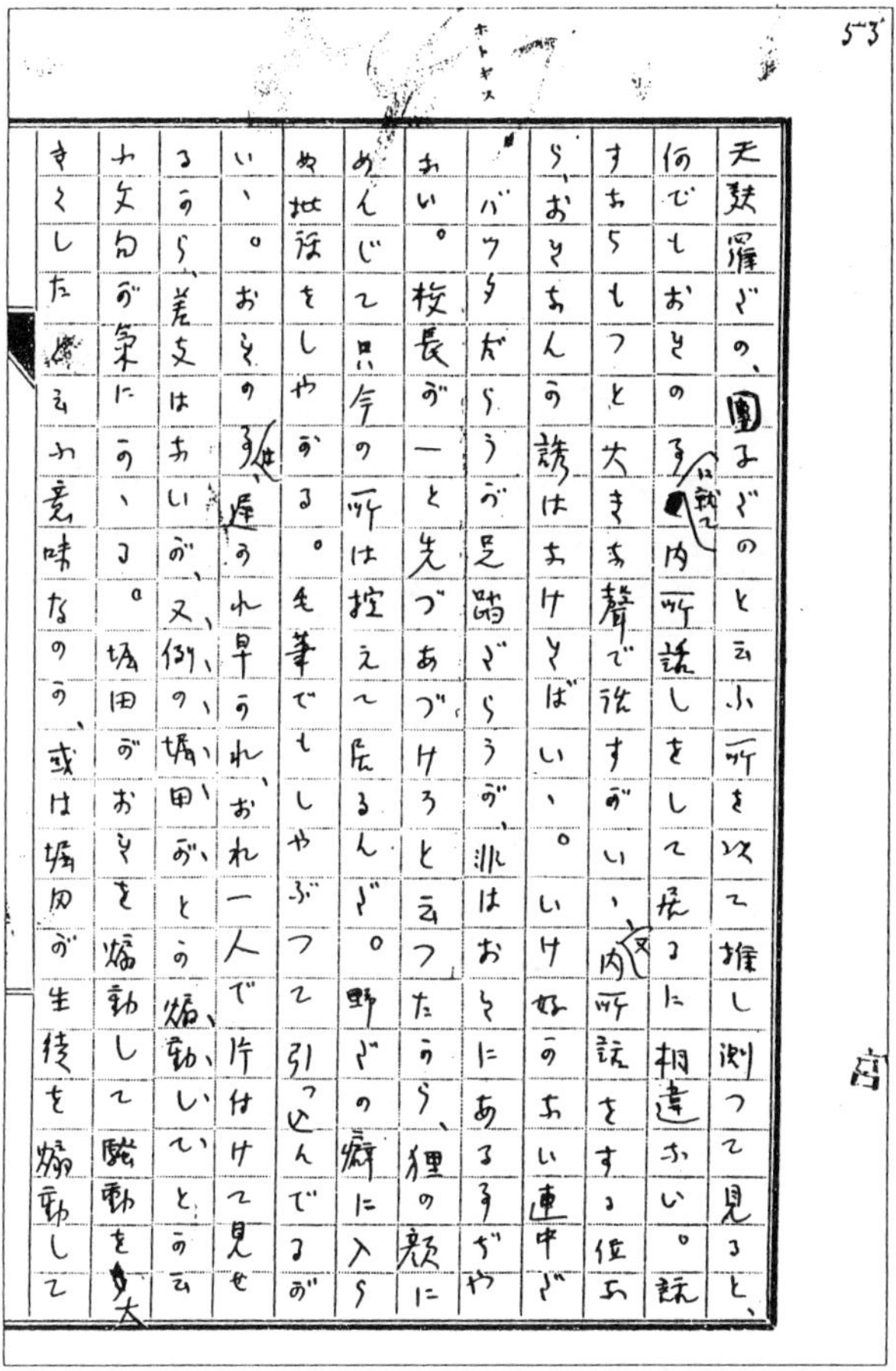
天麩羅だの、團子だのと云ふ所を以て推し測つて見ると、
何でもおれの事に就て内所話しをして居るに相違ない。話
すならもつと大きな聲で話すがいゝ、内所話をする位な
ら、おれを誘はなければいゝ。いけ好かない連中だ
。バツタだらうが足踏だらうが、非はおれにあるすぢや
ない。校長が一と先づあづけろと云つたから、狸の顔に
めんじて只今の所は控えて居るんだ。野だの癖に入ら
ぬ批評をしやがる。毛筆でもしやぶつて引つ込んでるが
いゝ。おれの事は遅かれ早かれ、おれ一人で片付けて見せ
るから、差支はないが、又例の堀田が、とか煽動して、とか云
ふ文句が氣にかゝる。堀田がおれを煽動して騒動を大
きくしたと云ふ意味なのか、或は堀田が生徒を煽動して

夏目漱石『坊っちゃん』の自筆原稿
（『夏目漱石自筆全原稿 坊っちやん』番町書房刊より）

なってしまう。

なお昭和二十一年までは同音二字が三種あった。カタカナで「イ、ヰ」「エ、ヱ」「オ、ヲ」、ひらかなで「い、ゐ」「え、ゑ」「お、を」だ。戦後は「オ、ヲ」「お、を」の一種だけになった。これらは、もともとはことなる音をあらわす字であった。むかしは、ワ行は wa wi u we wo だったのである（そのことは「いろは歌」を見ればわかりますね。「ちりぬるを」の「を」（wo）と「おくやま」の「お」（o）とは音がちがうから別のものとして出してある。「い」と「ゐ」、「え」と「ゑ」もおなじ）。現在のワ行は wa i u e o。そのうちに wa も a に吸収されてしまうでしょう。いまだって「わたし」を「あたし」と言う人はいくらもあるものね。

なおついでに――。「いろは歌」にはヤ行のエ（ye）は出てきませんね。「いろは歌」ができたころにはもうア行のエに吸収されて、なくなっていたわけだ。しかし弘法大師空海が生きていたころには、その区別があった。したがって、「弘法大師がいろはを作った」というのはウソだ、ということが一パツでわかりますね。

男手と女手

自然発生的にかなができ てカタカナ系統とひらかな系統とにわかれたが、これが日本語の文章を書く正規の文字としてその地位を確立したというわけではない。かなはやはり「假字」

「仮名」、かりそめのまにあわせの、本式でない文字であった。かなに対して漢字を「まな」(真字、真名)と言う。「ほんとうの字」の意である。われわれが子どものころでも、漢字のことを「本字《ほんじ》」と言う人がまだあった。漢字にくらべて、かなは格段に地位がひくかったのである。

かなのなかではカタカナのほうが地位が高い。

かながてきても、男は漢字で文章を書くべきものであった。漢字のことを「男手《をとこで》」と言う。「手」は文字の意である。ひらかなは女の書く文字だから「女手《をんなで》」と言う。カタカナは漢字に附属する。「上」が「のぼる」の意である時には「上」の右下に小さく「ル」を書く。「上ル」と。いわば漢字の子分だからひらかなより地位が高い。

平安時代はほかの時代とちがって、文学というと紫式部だとか清少納言だとか女ばかりだが、これは女はひらかなで日本語の文章を書いたからである。男は書かない。紀貫之が土佐日記を書いているが、これは女にばけて書いたのである。

2　日本語の素姓

現在の日本語は、おおむね四種の語群より成る。

一つは「和語」である。「やまとことば」とも言う。本来の日本語である。この数行に出てきた語で言えば、の、は、おおむね、より、なる、ひとつ、で、ある、などが和語である。

一つは「字音語《じおんご》」である。右の数行に出てきた語で言えば、現在、日本語、種、語群、和語、本来、などが字音語だ。字音語は漢語と和製漢語より成る。このことはあとでのべます。

和語と字音語とでだいたい日本語の八十五パーセントくらいをしめる。

一つは「外来語」である。――もっとも実を言うと、この「外来語」という名称は適当でない。第一に、「学校」とか「内閣」とかの漢語はあきらかに外から来た語だが、この「外来語」には入れないからである。第二に、「マイカー」とか「ベッドタウン」とか「ガソリンスタンド」とかの類は日本人がつくったことばで外から来た語ではないのに、これに入れるからである。「外来語」は不適当だというので「西洋語」あるいは「洋語」と言う人もあるが、西洋語ではない外来語もいろいろある（チョンガーとかキセルとか）。そこでまた「カタカナ語」と言う人もあるが、ことばの素姓の問題を、表記する文字の種類にすりかえるのは筋がちがう。

タンポポやマグロはカタカナで書いても日本語だし、「かるた」や「たばこ」はひらかなで書いても外来語である。どうも適当な呼びかたがない。「漢語を除く外来語、および和製洋語」と呼べば正確だが、ながすぎる。やむなく、この「漢語を除く外来語、および和製洋語」の意味で「外来語」と言っておきます。この外来語はふえる一方で、現在の日本語語彙の一割くらいをしめる。

一つは「混種語」「まぜこぜ語」である。これは、以上三種の二つ以上がまじって一つのことばをつくっているものだ。うち「和漢混種語」についてはあとでのべます。それ以外の、外来語と和語、外来語と字音語がくみあわさって一つの語をつくっているのは、「輪ゴム」「ペンキ屋」「食パン」「プロ野球」などの類である。「和漢外」の混種語はめったにないが、「半袖シャツ」や「駅前ビル」などがそうである。混種語は現在の日本語の五パーセントくらいをしめているらしい。

外来語は江戸時代からいくらかはあったが（たばこ、きせる、かるた、めりやす、合羽《かっぱ》、襦《じゅ》袢《ばん》など）、大部分は明治以後にはいってきたもの（およびそれに似せて日本人がつくったもの）である。外来語との混種語はそのあとでできたものだから、日本語のなかではごく新しい層である。

「まぜこぜ語」いろいろ

混種語は、千数百年前に漢語がはいってきて以後にでき、百数十年前に西洋語がはいってきて以後にまたできた。

だれにもわかりやすいあとのほうから申しましょう。西洋語が大量にはいってくるまでに日本人がつかっていたことばを、和語も字音語もその他もひっくるめてここでは「日本語」とよんでおくことにします。

明治のはじめ、それまで日本語をつかって生活していた日本に、西洋語がドッとはいってきた。日本人は、日本語のなかにナマの西洋語をまぜてつかい出した。坪内逍遙が『當世書生氣質』でやや戯画的に描写しているのを引用すれば、「我輩のウヲッチ〔時器《とけい》〕でハまだテンミニッ〔十分〕位あるから」「一寸其《ちよつとその》ブックを見せんか」「實に是《これ》はユウスフル〔有用《いりよう》〕じや」といった調子である（〔　〕内は日本語訳、筆者の読者へのサービス）。

そのうちに、よくなじんだ西洋語と日本語とをくみあわせて混種語をつくった。「ガラス窓」とか「金ボタン」とか「郵便ポスト」、「海水パンツ」などのたぐいである。

これとおなじことを、漢語がはいってきて以後の千年あまりのあいだにも、日本人はやりつづけてきた。

はじめ漢語がはいってきた時、漢語をナマのまま日本語にまぜてつかったことは前に申したとおりだ。

ついで、「ガラス窓」や「輪ゴム」にあたるような、漢語と和語とのくみあわせ語をつくった。はやくも万葉集のころからそういうことばができている。たとえば「男餓鬼《をがき》」「女《め》餓鬼」。男を「を」、女を「め」というのは和語であり、「餓鬼」は漢語である。

こうした語はその後非常に多い。源氏物語（平安時代）には「経箱《きやうばこ》」「院方《ゐんがた》」「忌月《きづき》」「絵《ゑ》所《どころ》」等々。平家物語（鎌倉時代）には「座敷《ざしき》」「勢揃《せいぞろへ》」「分捕《ぶんどり》」などこんにちもつかわれるようなことばが数々出てくる。こうしたことばは、できてから長い年月がたっているので、これが「廃ガス」とか「ペン先」などと同性格の「外国語と日本語とをくみあわせてつくったことば」とは思えないほどですね。

こうしたことばは「混種語」とよぶのが最も一般的らしい。ただし「混種語」というのは範囲がひろく、「ガラス窓」「マッチ棒」などはもとより、「サボる」「ナウい」などの、外来語を動詞化したり形容詞化したりしたのもふくむ。「複合語」という言いかたもあるが、これは「山登り」でも「夏休み」でも、あるいは「教育ママ」でも「ガス器具」でも、二種以上の語をくみあわせた語すべてをふくむ。和語と漢語（字音語）のくみあわせにかぎっての呼び名では「音訓まぜ読み語」と言っている人もある。

わたしは、「和漢混淆語」「和漢まぜこぜ語」あるいは「音訓まぜこぜ語」と言い、また「白菊夕刊語」とも言ったことがある。「白菊」は平安時代のはじめからあって古く、「夕刊」は近代の語だから、古いのを一つと新しいのを一つ、ということと、また、「白菊」はまるで和語みたいに見え「夕刊」はまるで字音語のように見えることから、この名称をえらんだのである。

以前わたしがあるところで「和漢まぜこぜ語」とか「白菊夕刊語」とか書いたら、むかしから「重箱読《じゅうばこ》み」「湯桶読《ゆとう》み」という呼称があるのになぜそれをもちいないか、と投書してきた人がある。こういう困った人がときどきあります。「重箱読み」「湯桶読み」というのは、漢字をどう読むかという観点から問題をとらえたよびかたである。わたしは（わたしにかぎったことではないが）日本語の素姓という観点から言っているのである。「日本語は、その語彙の素姓の観点から見ると、和語と、字音語と、外来語、およびこれら三種のうちの二種以上がくみあわさった語から成る」と言うのである。「日本語の語彙は、和語と字音語と外来語と重箱読み湯桶読みから成る」では範疇がちがう。漢字の読みかたの問題ではなく、ことばの出自の問題なのである。みなさんはわかってくださいますよね。

万葉集に「印結而我定義之住吉乃濱乃小松者後毛吾松」という歌がある。「しめゆひてわがさだめてしすみのえのはまのこまつはのちもわがまつ」とよむ。「義之」を「てし」とよませている。「義之」は書の名手王羲之、つまり「習字の先生」ということである。万葉集独特の戯訓であるが、これによって当時すでに「手師《てし》」ということばがあったことがわかる（手《て》は字をかくこと、またかいた字。もちろん和語。師《し》は師匠、先生。漢語）。この「手師《てし》」はいままで言えば「習字ティーチャー」という言いかたで、これが最も古いまぜこぜ語なのではないかとわたしは思っている。

和漢まぜこぜ語のむかしからあるものや、比較的新しいものをいくつかあげておきましょう。

台所、気持、小僧、荷物、石段、不届、庄屋、相場、場所、鉢巻、茶畠、両手、陣笠、貴様、性根、役目、誕生日、料理屋、絵葉書、喧嘩腰、世話物、無駄足、貯金箱、反対側、高利貸、………

女が体を売る「売春」に対してちかごろ男がそれを買うことを言う「買春《かいしゅん》」ということばができているのだそうだ。だとすると、多分これが最も新しいまぜこぜ語であろう。「手師《てし》」から「買春《かいしゅん》」まで、千数百年にわたってこの種のことばはつくられつづけてきているわけですね。

和製漢語ができてきた

漢語がはいってくると日本人ははじめそれをそのまま日本語のなかにまぜてつかったが、やがて漢語まがいのことばをつくるようになった。和製漢語である。これは、近代の日本人が、西洋語になじむにつれてミルクホールとかアイスキャンデーとかハンストとかパンストとかの和製洋語をつくったのとおなじである。

和製漢語は、まず大きく、江戸時代までのものと明治以後のものとにわかれる。語の数の点からいうと明治以後のものが圧倒的に多い。そのほとんどが西洋語の訳語としてつくられたものである。

つぎにそのできかたの面から見ると、日本語に漢字をあて、のちそれを音読するようになったものと、はじめから字音語としてつくられたものとがある。明治以後の和製漢語はほぼすべてはじめから字音語としてつくられたものである。

時期の点では、日本語を漢字で書き、それをあやまって（あるいは故意に）音読したもののほうが古いようである。よく知られているものをいくつかあげるなら、——「かへりごと」を漢字で「返事」と書き、のちこれをあやまって音読したことから「ヘンジ」という和製漢語ができた。「ではる」（役人などが用務で他の所へ行く）を「出張」と書き、これがのちに音読されて「シュッチョー」という和製漢語ができた。「ものさわがし」を「物騒」と書き、これを音読して「ブッソー」ができた。「おほね」を「大根」と書き、「ダイコン」ができた。「ひのこと」を「火事」と書き、音読して「カジ」ができた。これらは、みなさんもきっとどこかできいたことがおありでしょう。このほか、山田孝雄博士は、尾籠《びろう》（をこから）、兼題（かねての題から）、立腹、呉服（くれはとりから）、心外、心配、安価、安直、遊女、日当（日の手当から）などをあげておられる。

また山田博士は、漢語と和語のくみあわせからできた和製漢語もある、として、無造作（造作なしから）、合点（点を合すから）、無骨（骨《こち》なしから）、当番、調印、入念などをあげていらっしゃる。これらは、造作、点、骨《こち》、番、印《いん》、念などの漢語がそのままの形で日本人の生活のなかでもちいられた経過が相当期間あり、その上で漢語の造語形式にあわせて和製漢語がつくられたのであるから、「返事《かへりごと》」が「返事《ヘンジ》」になったようなのよりはよほど複雑かつ高度の和製漢語である。なお漢語の造語形式のことは前に申しました。否定の語が先にくる（無造作、無骨）。賓語があとにつく（合点、当番、調印、入念）。

万葉集の橘宿禰《たちばなのすくね》の歌の前がきに、「於時左大臣橘卿率大納言藤原豊成朝臣及諸王諸臣等參入太上天皇御在所」というところがある。この「參入」は「まゐる」という日本語にこういう字をあてたのだが、これが「參入《さんにふ》」（サンニュー）ということばのはじまりらしい。してみると「和語転換型和製漢語」の第一号は「参入」かもしれない。

最も新しい和語転換の和製漢語は多分、新聞の登山事故の記事に出てくる「滑落」だろう。これは「すべりおちる」を「滑り落ちる」と書き、その漢字部分を「カツラク」とよんでできた語であろうと思う。

和語転換型はしかし和製漢語全体のなかでしめる割合はごく小さい。大部分ははじめから字音語としてつくられたものである。

平安時代までにできた和製漢語は、「院宣《ゐんぜん》」とか「悪霊《あくりやう》」などいくらかはあるようだが、多くない。俄然多くなるのは中世以後である。日本人の生活に密着したことばを漢語の形でつくるようになったせいであろう。これは、西洋語が大量にはいってきたのは明治時代からだが、日本人がマイホームとかベッドタウンとか生活に密着した和製洋語をどんどんつくりはじめるのは相当の期間がたってからであるのと似ている。外来語の性格をのみこんで外来語まがいを自在につくれるようになるにはある程度の時間が必要なのだろう。

江戸時代までの和製漢語

「和製漢語」と言えば「日本でできた漢語」ということで何も問題はないようだが、どこまでを和製漢語と認定するかはけっこうめんどうなのである。わたしは、本来の漢語におなじ形のことばがあっても、日本人が独自の意味にもちいていれば和製漢語としてあつかうのがよい、と考えております。

たとえば、「中間《ちゆうかん》」という語は無論漢語である。物と物とのあいだ、あるいは、ある時点とある時点とのあいだ、ということだ。しかし、武士の家につかえる男の使用人「中間《ちゅうげん》」（「仲間」とも書く）は日本独自の意味であるから、和製漢語のほうに入れるのが適当だとわたしは考える。これももとを正せば、最も地位の高い使用人と最も地位の低い使用人との中間くらいの地位の使用人、というところから出たのであろうが、しかし江戸時代の日本人の生活のなかでの「武家の中間《ちゅうげん》」というものと、それをさす「中間《ちゅうげん》」ということばとは、漢語の「中間《ちゅうかん》」（なかほど）とはかけはなれている。「中間」という語が漢語にあるからとて、それとおなじ字を書く「中間《ちゅうげん》」も本来の漢語のほうに入れるのは妥当でない。

もう一つ例をあげれば、「成敗《せいはい》」という漢語はある。成功と失敗、ということである。しかし日本人が言う「成敗《せいばい》」、これは相応の地位ある武士（旗本など）が自分の家で不都合のあった使用人を自分の手で斬り殺すことである。これも漢語の「成敗」とは意味がかけはなれている。成功と失敗の「成敗」は漢語、使用人を殺す「成敗」は和製漢語、とするのが相当でしょう。

もし、「中間」も「成敗」もこの通りの字が漢籍にあるから和製漢語ではない、と言う人があるなら、「中間《ちゅうげん》」や「成敗《せいばい》」は「日本漢語」であると考えればよい。一般に「和製漢語」という用語がもちいられているからわたしもそう言っているが、実際「日本漢語」のほうが用語として適当かもしれない。

江戸時代までの和製漢語を明治以後の和製漢語とくらべると、様相がよほどちがう。

一つは、そのほとんどが、耳で聞いてわかる、ということである。「中間」「成敗」もそうだが、その他、「奉行」「与力」「同心」「家老」「代官」「役人」「番頭」「丁稚」「坊主」「役者」「芸者」「三味線」等々、みな耳で聞いてわかり、まぎらわしいことばがない。明治以後の和製漢語――カガクと言っても「科学」と「化学」とあり、シンリと言っても「真理」と「心理」と「審理」とあり、セイシと言っても「制止」「静止」「製糸」「製紙」等があり、セイカギョウをいとなんでおりますと言っても「製菓業」か「製靴業」か「青果業」か「生花業」かわからないのとくらべれば、「奉行」や「与力」「同心」などの類がいかにすぐれたことばであるかがわかる。

江戸時代以前の和製漢語のもう一つの特徴は、漢字の意味からことばの意味が出てこないということである。言いかえれば、明治以後の和製漢語は、日本語をまったく知らない中国人が見ても文字から意味がおしはかれるが、江戸時代までの和製漢語は、どんなに漢字にくわしい中国人でもまず意味がわからない、ということだ。

たとえば――

「野暮」は野原の日暮ではなくて、粋でなく洗練されてないことである。

「世話」は世のなかの話ではなく人の面倒を見ることである。

その「面倒」は無論ツラが倒れることではない。
「心中」は心の中ではなくて複数自殺である。
「無茶」はお茶がないことではなくデタラメである。
「家老」は家の老人ではなく一国一城の宰相である。
「同心」は心を同じくすることではなく警察官である。
「家来」は家へ来ることではなくおつきの配下である。
「神妙」はおとなしいことである。
「勘当」は道楽むすこを家から追い出すことである。
「逐電」は悪事をはたらいて姿をくらますことである。
「所帯」は家族、家庭である。
「推参」はあつかましいことである。
「無下」はあいそのないことである。
「扶持」は給料である。
「立腹」は怒りである。
「粗末」は大切にしないことである。
その「大切」は、無論大きく切ることではない。

これらはすべて、漢字の字音でできていることばではあるけれども、漢字で書いてその個々の字をにらんでも語の意味は出てこない。すなわち字の意味にはさほど頓着していないのである。——この「頓着」も和製漢語だが、「頓」と「着」という字を知っているのみの人にはわからない。「大丈夫、あいつはそんなことトンヂャクしないよ」と聞けば「頓着」の字を知らない者でも意味はわかる。

つまりこれらのことばの意味は、字からではなく、日本人の生活のなかから出てきている。あるいは、意味は日本人の日々の生活のなかにある。すなわち、江戸時代までの和製漢語（あるいは日本漢語）は健全である。明治の和製漢語がひたすら個々の漢字の意味にたより、それが耳にどうきこえるかを考慮せず、日本人の生活と遊離したところで生産されたのと正反対である。

3　漢字崇拝という愚

江戸時代末までの日本人は、和語と、漢語と、和製漢語と、和漢混淆語とをもちいて生活していた。外来語（無論漢語以外の）もすこしはあり、外来語と日本語との混種語もあったが（たとえば煙草盆《たばこぼん》は外来語と漢語がくみあわさっており、長襦袢《ながじゅばん》は和語と外来語がくみあわさっている）、それはわずかなものである。

こまかくわければ、武士や豪商豪農などの知識階級は日常生活においても漢籍に出てくる漢語をまじえもちいたが、一般民衆は、和語に多少の和製漢語と和漢混淆語がまじるくらいであったろう。

と言っても、よほど特殊な学者は別として、ふつうにはことばの素姓などはまったく意識されない。たとえば、「宿場」や「関所」や「茶店」は和漢混淆語で、「街道」や「本陣」や「人足」は和製漢語（あるいは日本漢語）で、「旅籠」や「草鞋」は和語で、「行燈」や「脚絆」は漢語、というようなことを、ふつうの日本人が理解も意識もするはずがない。

ことばの素姓というようなことは理解しなかったが（あるいは理解しなかったからこそ）、すべてのことばはそれを表記する漢字があり、また漢字で書くのが正式である、という意識を持っていた。字を知らない人ほどその傾向が強かった（字を知らないというのは無論漢字を知らないということである。「はたご」はわかっても「旅籠」を書けないのを「字を知らない」と言った）。つまり無教育な者ほど、漢字を神聖視し、崇拝した。したがって自分が字を知らないことを恥じた。だから字を書くことをこわがり、いやがった。日本にはかなという日本語を書くためのりっぱな字がある、なんで外国の文字である漢字をつかわねばならぬのか、かなで十分ではないか、というような気概は、無教育な者には金輪際期待できなかった。

そもそも無教育な人たちは、漢字が外国の文字であることも知らなかったし、だからはじめから日本語を書きあらわすようにはできていないのだということも知らなかった。ただひたすら、漢字こそが本当の文字であると思い（「本字」という呼称も無論庶民層の言いかたである）、字を習うのが学問だと思い、したがって字をたくさん知っている人が学問のある人だと信じていた。これはちょうどこんにち、英語のできない者ほど英語を尊敬し、英語をペラペラしゃべる人間を上等人種だと思うのとおなじである。日本語も英語も言語として同格である、日本人が英語がわからなくてもすこしも恥ではない、とはっきり言うのは、英語のできる人、すくなくとも教育のある人である。

明治以後の英語神聖視、英語崇拝、それとおなじことが、あるいはもっと極端な形で、漢字神聖視、漢字ばかりでできている書物やそういう書物をよむ人間に対する尊敬、崇拝としてあったわけだ。

ことばの素姓という観念があれば、字音語と和漢混淆語は漢字で書かねばならぬが、和語は何も漢字を書く必要はない、かなで書いたほうがよい、という判断もできるのだが、それがわからないから、なんでも漢字で書くのが正式だと思ってしまうのである。「宿場」や「本陣」

は漢字で書くべき語だが、「はたご」は和語なのだからかなでよい、かなのほうがよい、と言っても、どこがちがうのかわからないわけだ。

これは明治になってからのことである。ある経済学者の自伝にこういう話があった。この人が大学を卒業して（まだ日本に大学が一つしかなかったころのことである）、大学院に進んでさらに学問をつづけることになり、その間の休みに郷里の家へ帰った。近隣の年寄りたちがたずねてきてその話を聞き、「大学校を出てもまだよめない字があるのか」と感嘆したという。無知な老人たちにとって、学問とはむずかしい字をおぼえることであり、それ以外に学問のあることを知らなかったのである。

江戸時代以前、実際に学問をやる人にとって学問とは、やはり字をおぼえることであり、字をおぼえて漢籍（むかしの中国人が書いた書物）をよむことであったが、究極の目的は「聖人の道を知る」ことである、ということになっていた（単に「聖人」と言えば通常は孔子のこと）。人間、政治、世界についてのいっさいの真理はすでに聖人によってくまなくあきらかにされており、のちの人がその上さらにつけくわえるべきことは何もない。その聖人があきらかにした真理を「聖人の道」と言う。だから学問の究極の目標はその聖人の道を知ることである。ではその聖人の道はどこにあるのかといえば六経《りくけい》（易《えき》、書《しょ》、詩《し》、礼《れい》、楽《がく》、春秋《しゅんじゅう》）に書いである。だから聖人の道を知るためには六経をよまねばならぬ。その六経は無論全部漢字である。だから学問をやるには漢字を知らねばならぬ。というわけで、学問とは漢字をおぼえることである、ということになっちゃったわけだ。これは、明治以後、人類文化の精粋は西洋にある、西洋の学問をやるには英語を（あるいはドイツ語、フランス語を）おぼえねばならぬ、ということから、英語（あるいはドイツ語、フランス語）を勉強するのがすなわち学問、ということになったのとおなじ筋道である。

——なお右の「六経」のうち楽経《がくけい》は早くにうしなわれた（ほんとにあったのかどうかも実はわからん）ので実際は五経《ごけい》ですね。それから、よく「四書五経《ししょごきょう》」と言うが、四書（論語、孟子、大学、中庸）をおもんずるようになるのは朱子学以後です。大学と中庸は礼記《らいき》のなかから一部分をとり出したもの。論語と孟子は孔子以後の書なので、孔子自身が手がけた（ということになっている）五経より価値がひくい、というのが本来の儒学の観点である。徳川幕府は朱子学を官学としたから江戸時代には四書が尊重された、というわけです。

宣長と白石

われわれの言語は日本語である。漢字は異国の言語を書きあらわすためにできた異国の文字である。なぜそんなに漢字をありがたがるのか。——そういう気概を、漢字を知らない一般民衆に期待するのは、金輪際不可能であった、とさきにのべた。

漢字や漢文や漢籍をありがたがる必要はすこしもないのだ、という主張は、漢字や漢文や漢籍を非常によく知っている知識人からしか出てこないのである。

明治以後、「漢字を多く知る者は漢字を尊重する。漢字を知らない一般民衆は、漢字の削減を、あるいは廃止をもとめる」と言う人がよくあった。しかしこれは観念論である。

ちょうど「階級制度のもとで、有利な地位にあるものは現在の制度を維持しようとし、不当な目にあっているものは社会のしくみの改変をもとめる」というのが観念論であるのとおなじである。「世の中のしくみがまちがっている。変えなければいけない」と言い出すのは、上層階級の、純真な、聡明な青年たちである。あるいは、学歴社会を批判するのは学歴のある人たちであるのもおなじである。

日本人が、漢字、漢文、漢籍を無上にありがたがるのを、最も強く批判したのは本居宣長である。この人はしばしば、ほとんどかなばかりの文章を書いている。宣長はもとより当時（というのは江戸時代の中期から後期にかけて）の最高の知識人であり、そういう人にしてはじめて、そういう見識と気概を持ち得たのである。

『玉かつま』の一節をよんでみよう。よみにくいと思うが、ぜひ声に出してよんでみてください（引用文は、文字づかい、かなづかいとも原文のままとします。以下も同じ。なおカッコつきふりかなはわたくし〈高島〉がつけたものです）。

漢意《カラゴコロ》とは、漢國《からくに》のふりを好み、かの國をたふとぶのみをいふにあらず、大かた世の人の、萬の事の善惡是非《ヨサアシサ》を論《あげつら》ひ、物の理《ことわり》をさだめいふたぐひ、すべてみな漢籍《カラブミ》の趣なるをいふ也、さるはからぶみをよみたる人のみ、然るにはあらず、書といふ物一つも見たることなき者までも、同じこと也、そもからぶみをよまぬ人は、さる心にはあるまじきわざなれども、何わざも漢國をよしとして、かれをまねぶ世のならひ、千年にもあまりぬれば、おのづからその意《ココロ》世《ノ》中にゆきわたりて、人の心の底にそみつきて、つねの地となれる故に、我はからごゝろもたらずと思ひ、これはから意にあらず、當然理《シカアルベキコトワリ》也と思ふことも、なほ漢意をはなれかたきならひぞかし、

漢意《カラゴコロ》（支那思想、支那人的なもののかんがえかた）は、漢籍をよむ人にばかりあるのではない。漢籍など見たこともない人にまでしみついている。これを捨てねばならぬ、と宣長は言うのである。

右の文、ほとんど和語ばかりで書かれている。当時の日本では（ことに男の書く文、学者の書く文としては）きわめてめずらしい文章である。それでも、「書といふ物」の「書」は多分

「書《ショ》」であろう。「千年」は「千年《ちとせ》」かもしれないが、「千年《センネン》」の可能性もあろう。「つねの地」の「地」は「地《チ》」か「地《ヂ》」か、いずれにしても漢語である。右のごくみじかい一節のなかにも三つ、すくなくとも二つの漢語が出てくる。

漢字はかなりつかっている。つかっているのみならずたよっている。「よさあしさ」では意をつくせないから「善悪是非《ヨサアシサ》」としたのであり、「しかあるべきことわり」では意をつくせないから「當然理《シカアルベキコトワリ》」としたのである。和語のふりかなをつけてあるとは言え語意は漢語にたよっていると言わざるを得ない。

ここには出てこないが、「學問」と「文字」とは『玉かつま』に頻出する。これはどうしても日本語では言えないのである。宣長は、「文字」を「もんじ」と言うと漢語だが「もじ」と言うと日本語みたいにきこえる（もんじといはずして、もじといへば、字の音《おん》共聞えず、御國《みくに》言《ことば》めきてきこゆる）と言っているが、これは負け惜しみで、「もんじ」と言おうが「もじ」と言おうがこれは字音語である。

わたしはもとより、儒者、漢学者、漢文先生を嫌悪する者であるから、宣長の意図を壮とし、「漢意《カラゴコロ》を去れ」という宣長の主張には双手をあげて賛成する。けれども、よほど程度の低い内容のものを書くのならともかく、宣長のごとく高度な内容のことをのべようとする際には、漢字、漢語ぬきでは、どんなにしても文章は書けぬのである。宣長も勿論、「書」や「地」

や、あるいは「學問」や「文字」の使用で、事実上それを承認している。なぜ程度の高いことは日本語ばかりでは言えぬのかといえば、前に言ったように、漢語漢字がはいってきて和語は成長がとまってしまったから、ある程度以上のこと（たとえば「學問」「文字」）は漢語で言うよりほかないのである。

それにしても、右に引いた文のよみにくさ、わかりにくさは否定のしようがない。ある程度以上の内容のことを、極力日本語だけで言おうとすると、かえってわかりにくくなる、という日本語の致命的弱点が露呈しているのである。

宣長の文章は、それ自身が、われわれは日本人だ、日本の文化は決して支那の文化にひけをとるものではない、日本語で考えよう、日本語で語ろう、という主張の実践なのだが、それが逆に、それは無理だ、しいて日本語だけで語ろうとすると、えらくふにゃふにゃして足腰のない、わかりにくい文章になる、ということを証明することになってしまった。それはそのはずで、日本語だけの文章というのは平安女流文学ぐらいしかないからその方式でゆくほかないわけだが、あれは女が情緒を牛のよだれのごとくメリもハリもなくだらだらと書きつらねたものだから、あの方式でガッチリした論理的な文章を書くのは無理なのである。つまりは、千年にわたって一度も日本語の文章を構築しようとしなかった日本の男たちの罪なのである。

ただし宣長も、上に引いたようなくねくねした文章ばかり書いたわけではない。お殿様（紀伊藩主徳川治貞。宣長が居た伊勢松坂は紀伊領である）に提出した『秘本玉くしげ』にはたとえばこうある。

然れども又いかほど學問よく、經濟の筋にも鍛煉し、當世の事情にも通達したるも、とかくに儒者は又儒者かたぎの一種の料簡ありて、議論のうへの理窟は至極尤もに聞えても、現にこれを政事に用ひては、思ひの外によろしからざる事もおほくして、返て害ある事もある也。惣じて何事も、實事にかけては、その議論理窟の如くにはゆかぬ物也。

実に明晰でわかりやすい。これが論理的な男の文章である。そのかわり漢語（および和製漢語）がどんどん出てくる。学問、経済、鍛煉、当世、事情、通達、儒者、一種、料簡、議論、理窟、至極、現、政事、……。要するに実質的なところはほとんど全部字音語である。

なおついでに、わたしが江戸時代随一の文章家——いやそれ以前をつうじても第一の学者、文章家と信じる新井白石の文章を御紹介しておきましょう（「学者、文章家」と言ったが、この両者は別のことではない。学問がなくてよい文章の書けるはずはないし、それに、文章にとって何よりだいじなのは気品、格調だが、それは学問のうらづけなしにそなわるものではない）。『讀史餘論』巻四から。

按ずるに、後醍醐不徳にておはしけれども、北條が代のほろぶべき時にあはせ給ひしかば、しばしが程は中興の業を起させ給ひしかど、やがて又天下みだれて、つひに南山にのがれ給ひき。されどまさしく萬乘の尊位を践せ給ひし御事にて、三種の神器を御身にしたがへさせ給ひしかば、時の關白近衞左大臣經忠をはじめて忠をも存し義をも知れる朝臣多くは南朝に赴き仕へられき。武家の輩も猶從はざりける。されば足利殿の代となりてもなほ從はざりし國國猶おほかりき。然れども終に運祚のひらけ給ふ事なかりしは皆是創業の御不徳によりて天のくみし給はぬなるべし。

さきに引いた宣長の『秘本玉くしげ』が、「なり」を「である」に変えればそのまま現代文になる文章であるのに対して、これは和文脈の勝った文章である。しかし「後醍醐不徳」「中興の業」等議論の中核となるところでは遠慮なく漢語をもちいてある。『藩翰譜《はんかんふ》』や『折焚く柴の記』も同様で、和文を基本とし、随所に漢語をまじえたものである。

頼山陽の滑稽

しからば白石の文章、あるいは宣長の『秘本玉くしげ』の文章のようなのが当時の標準的な知識人の文章であり、またよい文章とされたのかというとそうではなく、やはり漢字ばかりの文章が標準であり、また評価も高かった。たとえば頼山陽の『日本外史』巻五総論。

外史氏曰、余修將門之史　至於平治承久之際、未嘗不舍筆而嘆也。嗚呼、世道之變、名實之不相讐、一至於此歟。古之所謂武臣者勤王云爾、如源氏平氏莫不皆然。平治之後、乘綱維之弛以逞鴟梟之欲、有暴悍無忌者焉、有雄猜匪測者焉、雖所爲不同、而其蔑王憲、營私利一耳。

これは何であるか。見たところは漢文である。つまり一応は外国語の文章である。ではその本国人によんでもらうつもりなのかといえば、無論そうではない。本国人によませるつもりなんかはじめからないし、その能力もない。読者として想定しているのは日本人だけである。「外史氏曰く、余将門の史を修して平治承久の際に至れば、未だ嘗て筆を舎いて嘆ぜざるなきなり。ああ、世道の變、名實の相讐はざる、一に此に至るか……」とよませるつもりであり、当人もそう書いているのである。

ならばなぜそう書かないで、下から上へもどるようなケッタイなよみかたをさせるのかというと、文章に日本のかながまじるのは格が低い、漢字ばかりだと中国の人が書いたのと同じに見えて上等だと思っているのである。文化植民地根性丸出しである。いまの日本人が、どんなにへたくそでもとにかく英語で物を言えば日本語で言うより高級だと思っているのとおなじである。文章で言えば、I every morning with friends to school go. というような〝英文〟を書いて、とにかく全部英語だ、日本人がよむのだからこれでいいんだ、とすましているようなものである。いや、いまの日本人はこのI every morning……を一応は「アイエブリーモーニングウィズフレンズ……」と日本なまりながら英語でよむだろうが、頼山陽流つまり漢学者流のはこれを「ぼく毎朝友だちと学校へ行く」と日本語でよむのである。日本語でよむのなら日本語で書けばよさそうなものだが、日本語はカッコわるい、と思っているのである。そんなに日本語がカッコわるいなら自分の書いたものを漢語でよめるのかというと、よめないのである。every も morning もどうよむのかわからないで、なんでも every morning というのは毎朝ということだ、と心得ているだけなのである。

徳富蘇峰が頼山陽の文章を「完全に日本化された漢文だ」と言ってほめたそうだが、そんなことがほめたことになるのかねえ。右のI every morning with friends to school go. を「完全に日本化された英文だ」とほめる人がいるものだろうか。——いや小生、もっと本国人が書いたものかと見まごうような漢文を書け、と言っているんじゃないよ。日本語しか知らない日本人には、日本語の文章しか書けないはずだ、と言っているのである。

なおみなさんも、文化植民地根性の遺伝子を持つ日本人だから、頼山陽の文章を見て、わあスゲエなあ、カッコいいなあ、と思うかもしれないが、それは英語を知らない田舎の爺さんがさっきの I every morning with friends……を見て、うわあおったまげた、全部英語じゃあ、日本の字が一つもない、と感心するのとおなじである。頼山陽の文章なんぞは滑稽なだけである。

頼山陽流の卑屈さとくらべると、新井白石や本居宣長がりっぱであったことがわかるのである。

なおおことわりしておきますが、頼山陽の文章、多分こうよませるつもりなんだろうと「外史氏曰く、余将門の史を修して……」云々と書いておいたが、あっているかどうか知らないよ。小生はこういうものを腹の底から嫌悪し唾棄する者であるから、あっていようと少々ちがっていようと知ったことじゃない。小生は、漢文の形をしたものは漢文として、つまり支那文としてよんで、浅薄かつ滑稽、と言うだけである。

どこがどう滑稽なのか、説明せよ、と言われても、それはできない。

あたりまえだよね。たとえばここに、日本人が書いたフランス語の文章がある。フランス人が（あるいはフランス語のできる日本人が）これを読んで、「へただねえ」と笑った。かたわらのフランス語がわからぬ日本人が、「どこがへたなんですか。ちゃんと全部横文字で書いてあるじゃありませんか。さあ、どこがどうへたなのか説明してください」と言ったってそりゃ無理だ。「どうしても知りたければフランス語を三年ほど勉強してからおいでなさい」と言うほかなかろう。それとおなじことだ。

日本人は、漢語や漢文を（つまり支那語や支那文を）ナメているのですね。フランス語なら、フランス語をまなんだこともない者が、このフランス文のどこがへたなのですか説明して下さい、などと無鉄砲なことは言わない。ところが漢文となると、おなじ漢字を使ってるんだからわかる、と思うらしい。ナメている、と言うほかありません。

真理は外からやってくる

頼山陽を槍玉にあげたが、無論頼山陽だけがそうだったのではない。中国崇拝は儒者、漢学者たちに普遍的なものであった。——中国崇拝、と言ったが、実際の中国を崇拝していたというのではない。現実の中国に対しては、彼らは知識もなかったし、関心もなかった（関心を持つ学者もいたがそれはごく少数の特殊な学者だった）。彼らが崇拝していたのは「聖人とその国」であった。

日本の知識層を構成していたのは武士と豪農、上層商人である。それらの家では、男の子が六歳くらいになると、親が教えあるいは近くの先生の家へ行かせて、素読と手習いをやらせるのがふつうであった。

この素読というのは、論語などの古典籍を、意味を教えることなく、くりかえし音読させ暗記させる教育法である。これは中国では古くからおこなわれているすぐれた教育法で、日本人もそれをまねたのである。もちろん日本では、日本語で訓読させたのであったが——。（ただし、日本語で訓読しているのだという意識は、教えるほうにも教えられるほうにもなかった。漢籍は支那語で書いてあるのだから訓読というのは一種の翻訳なのだが、翻訳しているとは思っておらず、そう読むものなのだと頭から思いこんでいた。）

同じことをやっているのだから、同じことだと日本人は考えていたのだが、実際は大ちがいである。中国人にとっては、それは自分たちの祖先が生み出したものであり、自分たちの生活から生えてきたものである。中国人と日本人とは、気候風土も、歴史も、生活習慣も、ものの感じかた考えかたも、もちろん言語も、何もかもちがう。中国の子どもにとってはきわめて有意義なことだが、日本の子どもにとっては、縁もゆかりもないよその国でできた、よその国の生活や歴史や感情や考えを書いたものにすぎない。日本人の生活と何も結びつくところのない、無用の知識を得るだけのことである。

ではむかしの日本人は、これは自分たちとは何もかもがまるでちがうよその国の人間が書いたものであると知っていたのかと言えば（本居宣長のようなごく一部のすぐれた人たちを別とすれば）そうは思っていなかった。では日本人が書いたものと思っていたのかというと、そうでもない。では日本人ではないけれども日本人と何らことなるところのない外国人が書いたものだと思っていたのかというと、そうでもない。要するに、そういうことは何も考えなかった。何も考えないで、ただ漢字ばかりがならんでいる本を無上にありがたいものと思い、これを読めば上等の人間になれると思っていたのである。

そういうと江戸時代までの日本人はバカぞろいだったみたいだが、かならずしもそうではない。われわれはいま、むかしの人たちよりはるかに、景色を見わたせる地点に立っている。むかしの人たちは、日本しか知らない。自分たちとおなじ地面の上に、おなじ人間の形をしていながら、自分たちとはことなる社会をつくり、ちがった生活をし、ちがった感じかた考えかたをし、ちがったことばをしゃべっている人たちがいる、ということが想像できなかった。すくなくとも、はなはだ想像しにくかった。したがって、そういう自分たちとはちがう生活のなかからうまれてきた価値観や規律を、そのまま日本人の生活に適用しようというのはばかばかしいことだということに気づきにくかった。

それに、ながいあいだの習慣で、「聖人の書」というものがあってそこに宇宙と社会と人間に関する真理が書かれている、それをまなぶのが人の道である、すなわちそれが学問というものである、という観念がガッチリとできあがっていて、それに疑いをいだくということは、よほどすぐれた頭脳を持った人でないと、むずかしかった。

そういうふうにして、書物——もちろんそれはむかしの中国人がつくった、漢字ばかりの書物——崇拝、したがって漢字崇拝の気分が、ひろくふかくゆきわたっていて、それが明治以後の、西洋崇拝、西洋語崇拝の素地をなしたのだった。それは、よその国の人たちがつくったものを尊敬する、つまり真理は外からくる、という点でおなじことだったのである。

なおついでに——

本居宣長のような人はそれに疑いをいだいて、漢籍《カラブミ》、漢意《カラゴコロ》を排斥したのだが、それにかわるものが必要になって、そこで日本の神代《かみよ》を絶対的に信じ、崇拝したのだった。それは、「完璧な世が過去にあった」とし、「それは書物に書かれてわれわれにのこされている」とし、「したがってそのたっとい書物を信じて学ぶのが学問である」とする点で、支那人（および支那思想を信仰する日本人）とおなじことだった。それもまさしく、宣長が攻撃する「漢意《カラゴコロ》」なのである。

そしてまた、福沢諭吉のような人も、「聖人の書」や「神代」のかわりに「西洋」をおしいただく知識界のリーダーとして登場したのであって、おしいただくものは新しいが、型としては従来とそうちがいはしなかったのである。

第三章　明治以後

1　新語の洪水

江戸時代の末まで、漢字の権威は隔絶していた。また、その用法はほぼ安定しており、一般にもちいられる語彙にさしたる増減はなかった。

情況が流動しはじめ、混乱と紛糾が生じたのは明治維新以後である。

正反対の二つのうごきがおこり、同時に進行した。

一つは、漢字の大量使用である。あたらしいことば、それも音を無視して文字の持つ意味だけを利用したことばがつぎつぎにつくられ、人々の生活の場にはいりこんできた。耳できいても意味が確定しない、字を見なければわからないことばが大量にうまれた。さきにものべたコーギョー（工業、鉱業）、セーシ（製糸、製紙）のたぐいである。

もう一つは、日本の文字を音標化しよう、つまり、すべてかななりローマ字なりで書きあらわすことにして、漢字を廃止しよう、とするうごきである。

この相反する二つのうごきは、一つの原因から出てきたものだった。

明治維新は、日本を全面的に西洋化しようとする国家的大運動の開始であった（この西洋化のことをいま一般に「近代化」と言っている）。それは明治の全期間をつうじて、国民生活の全局面において進行した。上にのべた二つのうごきは、いずれもその西洋化によって生じたのである。

まずその第一の漢字語大量出現についてのべよう。

明治維新以後、日本は、西洋のありとあらゆるものをとりいれるべくつとめた。政治のしくみ、法律と裁判、各種の産業、建築や交通機関、通信手段、学校と教育、学問芸術、軍隊警察、衣服や食品等の生活用品、それに運動やあそびまで——。それらにはみな、名称や用語（もちろん西洋語の）がともなっている。日本人はこれをことごとく日本語に訳そうとし、また実際訳した。それに漢字が動員され、数千数万語にのぼる和製漢語がつくられたのである（和製であっても「漢語」と言う以上はすべて字音語です）。

ここで「どんなことばが作られたのですか。具体例をあげてください」と注文が出た。例と言われてもねえ、こういうのはかえって困りますね。ポケットの財布に一万円札から一円玉にいたるまでお金をいっぱい持っていて毎日自由自在に使っている人から「お金というのはどういうものですか。具体例を見せてください」と言われたみたいなものだ。でもせっかくだからすこしあげましょう。

われわれがこんにち、現代の社会に生活していて、新聞や雑誌で見ることば、テレビやラジオで聞くことば、われわれの親やわれわれ自身が日常にもちいて来た、また現に毎日もちいていることば、その大半は明治以後につくられた「新字音語」である。右に「現代の社会に生活する」と書いた。江戸時代のお侍や町人が「われわれは現代の社会に生活しています」なんて、言うわけないよね。「いまの世のなかでくらす」とでも言ったかな?「現代」は modern の、「社会」は society の、「生活」は life の訳語ですよね。

そのちょっと前に出てきた、政治、法律、裁判、産業、建築、交通、機関、通信、手段……。これらのことばも、西洋語の翻訳、つまり新しい和製漢語だ。そしてまた、これらを小分けするならば――

政治にかかわることばなら、政府、官庁、官吏、公務員、議会、議案、議院、議員、行政、施政、選挙、投票……

経済産業なら、会社、企業、銀行、保険、信託、証券、不動産、有価証券、金融、電器、機械、運輸、輸送、物産、精密、計測、経理、営業、総務、企画、立案……

交通通信なら、鉄道、線路、汽車、電車、自動車、自転車、道路、飛行機、航空、郵便、電信、電報、電話、電気……

運動やあそびならその「運動」ということばにはじまって、体育、体操、陸上、水上、競技、競走、競泳、野球、庭球、卓球、球技、選手、審判、球場……

いくらあげていってもキリがない。かえって、いま新聞紙上などに見ることばで江戸時代以前からあるものをあげなさい、と言われたほうが困るんじゃないかしら。

「政治」は politics の訳、「政府」は government の訳、「産業」は industry の訳、「銀行」は bank の訳、「保険」は insurance の訳……これもキリがない。あるいはみなさんは、これらのことばの一々の原語を知らないかもしれない。しかしすくなくとも、江戸時代の日本人がこうしたことばをしゃべってはいなかったろう、ということは、およそ見当がつきますよね。ならば当然、明治時代、西洋化以後にできたことばなのである。具体例をあげてください、なんて言われると困っちゃう、と言うのもおわかりですよね。

それまであったもの、なかったもの

これらの和製漢語について、いくらか説明をつけくわえておきましょう。

まず、江戸時代までの日本に、なぜこれらのことばがなかったのかと言えば、その物、もしくはそうした概念がなかったからである（「物」は形があって目に見えるもの。「概念」は目に見えないもの、とお考えください。たとえば、理論、証明、函数、分数、解析、確率など）。しかし、あったけれども別のことばで言っていた、というばあいもある。

和語で訳したものもあるが多くない。

右に例としてあげたのはごくわかりやすいことばばかりだから、みなさんは「なあんだ、新字音語なんて言ったってやさしいことばばかりじゃないか」とお思いかもしれないが、むずかしいことばもある。

日本人が新しくつくったことばがほとんどだが、それまでにすでに存在していたことばもある。

では、説明をはじめますね。

まず、ことばは新しくできたけれど、そういう物なり概念なりはそれ以前からあったばあいもある、ということ。

たとえば「債務」「債権」ということばは明治以後の和製漢語である。原語はdebtとcredit（あるいはclaim）。しかし江戸時代までの日本に、人から金をかりていていずれ返さなければならない、あるいは、人に金をかして、いずれは返してもらう権利がある、ということがなかったのかといえば、そんなことはない。あったにきまっている。まあふつう「借《かり》」とか「貸《かし》」

とか言っていたのでしょうね。それを、法律に根拠がありきちんと定義され貸借対照表にもちいられる「債務」「債権」という新しいことばをつくった。なお右に出てくる、権利（right）、定義（definition）、貸借対照表（balance sheet）なども、新和製漢語すなわち新字音語である（この「権利」「定義」なども目に見える物ではないから、そういう概念ですね）。

右の「債務」「債権」にかぎったことではない。「そういうことはあった」ということはいくらもある。早い話さきの「現代の社会に生活する」だって、「現代」「社会」「生活」ということばはなかったが、江戸時代の人だって、江戸時代という「現代」の社会で生活していたわけだからね。

しかしまたもちろん、まるっきりそういうものがなかった、ということも多い。鉄道、汽車、電信、電話なんぞはたしかに、まるっきりなかった。

明治時代につくられた翻訳語、しかも和製漢語、なんていうと、あるいは、何かこうえらく高級な、むつかしいことかとお思いになったかもしれないけれど、考えてごらんなさい。たとえば野球の、投手、捕手、打者、走者、一塁、二塁、盗塁、安打、本塁打、等々だってみんなそうだよね。江戸時代にはなかった。あたりまえだ。投手は pitcher の、捕手は catcher の、打者は batter の、走者は runner の……、みんな翻訳語だ。そしてみんな和製漢語だ。「なげて」「うけて」「うちて」「はしりて」でもよさそうなものだが、トウシュ、ホシュ、ダシャ、ソウシャというような字音語にしちゃったんだね。

和語で訳したもの。これはほんとにすくない。「切手《きって》」、これは postage stamp を前島密がこう訳したのだという。ただし「切手」ということばは前からあった。そう大きくない一枚の紙、板などに字が書いてあって何かの証明となり、あるいは何かとひきかえられるものを「切手」と言った。さすものの範囲は非常にひろい。これを米屋へ持って行けば米とひきかえてくれる、というのも「切手」だし、これを見せれば関所を通れる、というのも「切手」である。それを postage stamp の訳語とした。ただしいまでも、上に「小」がついて「小切手《こぎって》」となると、これを銀行へ持って行けば現金にかえてくれる、というものになりますね。

「為替《かわせ》」。これは money order を福沢諭吉がこう訳したのだという。福沢が自分でそう言っている。しかし「かはし」「かはせ」とよばれるものはふるくからあった。遠隔地へ現金を送ったり持って行ったりする不便や危険をふせぐために、かねのかわりをする証文である。福沢が、このことばはオレがつくった、というのは、これに「為替」という字をあてた、というだけのことかもしれない。

いずれにせよ、和語で訳したというのはごくごくわずかである。

ほかに用のない字

無論、むずかしいことばも数々ある。なにしろ西洋語を訳すにあたっては、ただただ、なるべく正確に、ということだけを考え、こんな字を使っていいんだろうか、とか、耳できいてわかるだろうか、とかいうことはちっとも考えなかったのだから、むずかしいことばがたくさんできるわけだよ。

むずかしい、というのには、大きくわけて二つある。一つは、字を見ればわかるが耳できいたらむずかしい、あるいは、とてもわからない、というもの。これはこれまでにいくらも例をあげた。家庭と假定と過程と課程、市立の学校と私立の学校、青果業と生花業と製菓業と製靴業、などである。

もう一つは字がむずかしいもの。これはかならずしも字の画数が多いというのではなくて、ある一つのことばにだけしか使われなくて他に応用がきかない、その一語だけのためにその字を知らないといけない、というものだ。これも、福祉の「祉」とか皮膚の「膚」とか、すでにいくつか例をあげてある。

またちょっと横道になりますが——
いま新聞を見ていると、「ほ乳類」「は虫類」「ふ化」なんてことばが時々出てきますね。

正しくは「哺乳類」「爬虫類」「孵化」だが、「哺」「爬」「孵」はこの語にしか使わない字なので、たった一つの語のために漢字を一つおいとくのは非能率だというので戦後の「当用漢字」(のち「常用漢字」)からけずられた。それで「ほ乳類」などと書くわけだ。

しかしこれらは、「哺」「爬」「孵」という字が意味をになっているのであって、「ほ」「は」「ふ」という音がその意味を持っているのではないのだから、こういう「ひらがな代替」の書きかた(これを「まぜがき」と言う)はまったくナンセンスである(「哺」は「乳をのませてそだてる」の意。「爬」は「はう」の意。「孵」は「かえす」「かえる」の意)。

しかしもとを正せば、こんな、めったにほかに用のないような字を使った訳語をつくったのがよくないんだよね。Mammalia は「ちちのませ類」、reptiles は「はひあるき類」(戦後式なら「はいあるき類」)とでもしておけばだれでもわかるし、耳できいてもわかる。多少ながったらしいが、さきにも言ったようにながったらしいのは日本語の宿命だ。incubation の「孵化」。これはそれこそ、むかしの日本でも鳥がたまごをだいてヒナをかえすということはあったんだから、なにもこんなむずかしい字を使って字音語をこしらえることはない。「かへし」(「かえし」)で十分だ。動詞の連用形をそのまま名詞として使えるのが日本語の一大特色なんだから利用すればよい。

他に用がない字の最たるものは、野球の「塁」ですね。一塁、二塁、三塁、本塁。むかしは軍隊用語として「堡壘」「壘壁」などもあったが、いまや野球だけ。戦後当用漢字のワクをきめた時、新聞が強い味方でありたよりでもあったから、文部省の役人どもも新聞社には気をつかった。はじめの案では「壘」はなかった。すると新聞社の野球記者たちが「一るい手」だの「本るい打」だのではサマにならん、「壘」を入れてくれ、と強硬に要求した。そこで文部省も「じゃちょっと字を省略してコチョコチョとこう『塁』としてね」ということで手を打った。

これも原語は base というごくやさしい英語なんですからね、はじめからもっとやさしい訳語にしとけばよかったんだけど、軍の拠点になぞらえて「壘」なんぞというむずかしい字を使って訳したんですね。

そんなら生物学者も「ほ乳類」や「は虫類」じゃサマにならん、と言えばよかったのに、と思うかもしれないが、そうではない。もともと当用漢字というのは、一般社会でふつうの文章にもちいる字、ということで、学術用語は別、という約束であったのだ。だから安心していたら、新聞社というところは乱暴かつ横暴であるから、学術用語であろうと何であろうと、シャクシ定規に「これは常用漢字にないからダメ！」とかなにしてしまったのである。

であるから、新聞がそう書いていようと、これは学術用語なのであるから、みなさんは「哺乳類」「爬虫類」と書いていいのです。あるいは小生が首唱する「ちちのませ類」「はいあるき類」を採用してくださったらなおいいけれど、学校の先生はきっと「なんじゃこれは！」と言うでしょうね。

「演説」は福沢諭吉が作った？

それまでにすでに存在していたことばもある、ということについて。

これはいろいろあるのです。

たとえば「演説」ということばは、speech の訳語として福沢諭吉がつくった。どういうことから思いついたかというと、福沢は九州中津藩の人なんですが、その中津藩で一般武士が上部にさし出す文書の一種に、めいめいの一身上、あるいは公務上の情実に関する、公然たる「願」や「届」ではないものがあって、それを「演舌書」と言っていた。「故に夫れより社友と謀り舌の字は餘り俗なり同音の説の字に改めんとて、演説の二字を得てスピーチュの原語を譯したり」と当人が言っているのだからまちがいなかろう。

これに対して「福沢諭吉が演説ということばはオレがつくったと称しているがそれはウソだ。それ以前からありますす」と言う人があり、それもそのとおりである。「演説」ということばはふるくからある。仏教の用語である。いったい「演」というのは、しきのべる、ひきのばす、うすくひろげる、といった意味、つまり、小さく密にかたまっているものを、ひろく長く大きく疎にのばすことである。で、深遠難解な仏教の教理を、だれにもわかるようにしきのべて説いてきかせるのを「演説」と言った。岩本裕『日本佛教語辞典』には「演説《おんぜち》」で出ていて、「教えの意義を敷衍して説き示す意」と説明してある。妙法蓮華経に四十個所も出てくるそうです。ついでに——、この岩本先生の説明に出てくる「敷衍」というのも「しきのばす」ということですね。「衍」と「演」とは、字の形はちがうけれど、同音同義です。したがって「敷衍」は「敷演」と書いてもよい。あるいは「敷延」と書いても「布衍」と書いてもおなじことです。

話がまた横道にそれてしまいました。もとにもどります。仏教の教理をやさしく説いてきかせる「演説」ということばはたしかにあった。ただしそんなことばに縁があるのは仏教関係者だけだろうから、福沢諭吉は知らなかったでしょう。かりに聞いたことがあったとしてもかまわない。とにかく、それとは無関係に、英語の speech を訳して「演説」ということばをつくった。現在は無論もっぱらその意味でもちいられている。このばあい、この「演説」ということばは、西洋語を翻訳した明治の新語（新字音語、和製漢語）としてよい、とわたしは考えます。

こういうふうに、明治の新訳語とたまたま同じ字づらのことばがむかしの文献（漢籍、仏典、日本の古典等）に出てくるとか、あるいはむかしから人が使っていたとかいうことはよくあります。新語をつくった人がそれを知らなかったばあいもあるし、知っていて利用したばあいもあるだろうが、だからそれが新訳語ではないとは言えない。

であるから、「演説」ということばはむかしからチャンとありました、というのはそのとおりだが、speech の訳語「演説」は福沢諭吉がつくった、というのもそのとおりなのである。

形をかえた西洋語

西洋語を翻訳するのに、漢籍にある語をもちいた、あるいは、訳した当人は気づかなかったかもしれないがおなじことばが漢籍にある、ということは、なかなか多いのです。

しかし考えてごらんなさい。

日本人が「漢籍」と呼んでいる書籍というのは、千年以上も前、あるいは二千年以上も前からあるものである。現代の西洋とおなじ物（あるいはおなじ概念）が、縁もゆかりもない大昔の中国に存在した、ということは、ほとんどあり得ないことだ。だから、たいていのばあい、たまたまおなじ語をもちいて訳した、というだけのことで、意味内容までおなじということは、まずないと思ってよいのである。

例をあげましょう。

「権利」「義務」ということばは、日本人が、right, duty を訳してつくった和製漢語である。そういうことになっている。これに対して、「なあに、日本人がつくったんじゃない。どちらも漢籍にありますよ」と言う人がある。そのとおりなのである。

まず「権利」。これは荀子《じゅんし》にもあるが史記の鄭世家《ていせいか》の賛《さん》にあるのがわかりやすいからこれをひきましょう。こうある。

「以權利合者、權利盡而交疏」

たしかに「権利」が二度も出てきますね。この「権利」は「権と利」、つまり「権勢と利益(財産)」の意。たとえばここに権勢をほこる大臣がいる。あるいは巨万の富をほこる大金持がいる。その周囲には人がワーッとあつまってくる。しかしそれは力や富がめあてなのであるから、大臣が権力の座からすべりおち、大金持が事業に失敗してスッカラカンになると、たちまちまわりにはだれもいなくなる。そういうことですね。

そうすると、right の訳語「権利」とここの「権利」とは、たしかにおなじことばだけれども、その内容その実質は何も関係がない。してみると「なあに権利ということばは二千年も前の漢籍にちゃんとありますよ」というのはまったくそのとおりだけど、「権利」ということばは日本人が right を訳してつくった、というのもそのとおりなのである。

つぎに「義務」。論語の雍也《ようや》にこうある。

「子曰、務民之義、敬鬼神而遠之、可謂知矣」

「務民之義」というのは人としての正しい道を実践するというほどの意で、たしかにひとかたまりのなかに「義」「務」が出てくる。人としてやらねばならぬことをやる、というのだから、なんとなく duty とかようものもありそうである。でも西洋の duty の観念、「国民は納税の義務を負う」なんぞの「義務」とはだいぶかけはなれているようでもある。であるから、「義務ということばは論語からとったものだ」と言われれば「ハイそのとおりです」ということになろうが、日本人が duty を訳してつくったことばだ、というのもそのとおりなのである。

くりかえして申します。最初西洋からことば——従来存在しなかった物や、従来知らなかった概念をあらわすことば——がはいってきた時、それを翻訳するのに漢籍に見える語を借用した人は、両者のあいだに多少なりとも似よりの関係があると思ったから、そう訳したのであろう。――もっとも、そういうことは何も知らないで訳して、偶然漢籍にもそれとおなじ語があった、というばあいもある。「権利」などはそうであろう。

しかしいずれであるにもせよ、それが訳語となってからは、その語はもっぱら、その訳語のもとになった西洋語の意味でもちいられる。「権利」は right の意味で、「義務」は duty の意味でもちいられる。

したがって、もし、こうしたことばの正しい意義を知らんと欲すればまず漢籍におけるその語の意義を知らねばならない、と言う人があるとすれば、それはまちがいである。それは、無知な人々に対するおどしである。無論、知識として知ることはさしつかえないし、またなかなかおもしろくもあるが、しかし、史記鄭世家の「權利」を知らなければ「権利」のほんとうの意味はわからない、ということは決してないのである。こんにちの「権利」の意義を知らんと欲すれば英語の right の意味を知れば十分なのである。

いま日本人が、「権利」「義務」と言ったり書いたりする。これは、形はたしかに日本語だが、その内容、その実質は西洋語なのである。つまりこれらのことばは「形を変えた英語」なのである。日本人の頭は、これらのことばを、西洋語の意味でしか、考えることも使用することもできない。すなわち、すくなくともこうした西洋輸入のことばや観念に関するかぎり、われわれ日本人の頭は、もう百年以上も前から西洋に引越しているのである。

2　翻訳語——日本と中国

翻訳漢語は日本でばかりつくられたわけではない。中国でもつくられた。日本では、明治のはじめから、西洋語（主として英語）が、怒濤のごとくはいってきた。中国では、日本のように怒濤のごとくというほどではないが、そのかわり、日本よりもはやくから欧米の宣教師が各地にはいっていた。彼らは、布教のために熱心に漢語をならい、西洋語を漢語に訳した。これら宣教師をたすけた中国人も数多くあった。

これらの人たちが訳したのは、まずは「福音」とか「黙示」とか「洗礼」とかのキリスト教用語であったにしても、それればかりにとどまるものではなく、各方面の物名や学術用語にもわたった。英語の辞書（英漢辞典）も日本よりはやくからできている。

これらを、特に明治の初期においては、日本は相当とり入れた。たとえば右の「福音」等の語は日本でもそのまま（と言っても発音はもちろん日本式だが）もちいている。「幾何学」「代数学」なども中国の訳である。「幾何」は geometry の geo の部分の音訳である。日本にとり入れられてその後ずっと使われた中国の音訳は「幾何」と「函数」(function) くらいのものだろう。「代数」は algebra の訳。——なお「音訳」というのは、原語の音をうつした訳語ですね。その上原語の意味もうまくうつしてあれば「名訳」と言われる。日本人の作で有名なのは「倶楽部」(club)、「型録」(catalogue) など。「簿記」も bookkeeping の音訳だという説がある。中国の傑作ナンバーワンはコカコーラの「可口可楽」、と言われてます。

明治になってからは、日本で何千何万の訳語がつくられて、これらの多くが中国に輸出され、いまももちいられている。

翻訳語は非常に多いから、その一つ一つについて、中国が訳したのか日本が訳したのか、いつだれが訳してどの文献に最初に見えるか、などの「ことばの戸籍しらべ」がすっかりできているわけではない。むしろわからないことのほうが多い。それに、「西洋語を翻訳して新しくつくったことば」と「むかしからあることばを翻訳語として流用したことば」と言うと、まるで別のもののように思えるかもしれないが、これまでにも何度も言ったように、それは見る人の判断しだい、というばあいが多い。

概して言えば、日本人は形（どういう文字がならんでいるか）に重きをおき、中国人は意味内容（その語がさすもの）に重きをおく傾向がある、ということは言えそうだ。

たとえば「保険」ということばがある。この語は漢籍にいくらでも出てくる。いまでも使う。安全、だいじょうぶ、まちがいない、といった意味である。日本人はこれをinsuranceないしinsurance companyの訳語とした。

日本人は、形（すなわち「保険」という文字のならび）に重きをおくから、「保険」ということばは日本人がつくったのではない、漢籍にいくらでも見えている、中国のことばである、と判断する。そう判断する人が多い。

中国人は意味内容に重きをおくから、いくら漢籍に「保険」という字があろうと、それはinsuranceの訳語としての「保険」と意味がちがう。insuranceの訳語としての「保険」は日本語である。いま中国でももちいているが、それは日本からの外来語である、とみなす。そうみなす人が多い。

そういうわけで近代の翻訳語は、中国人が（あるいは中国在住の西洋人が）訳したのを日本がとり入れたのもあり、日本人が訳したのを中国がとり入れたのもあり、日本人が中国からとり入れたものを中国人が日本語だと思ってあらためて日本からとり入れたのもあり、どちらがさきに訳したのかわからないのもあって、なかなかめんどうである。

ちょっと中国のがわに立って見てみましょう。

中国の外来語辞典には、「日本語」とするものが非常に多い。例として、そのごく一部、b

ではじまることばと1ではじまることばだけを列挙してみます。ただし、西洋語からの翻訳語のみとする。ごく一部ではあるが、しかしこれを見ていただければ、どういう物や概念が日本にはなくて、西洋からとり入れたのであるか、またそれは中国にもなくて日本からとり入れたのであるかが、わかっていただけると思う。なお、その語自体はもともと中国にあるけれども、意味はちがう、というもの——上に言った「保険」のようなことば——は右がわに傍線をひいておきます。

覇権（supremacy, hegemony）白金（platinum）白旗（flag of truce）白熱（white heat）百日咳（whooping cough）版画（woodcut print, block print）半径（radius）半旗（a flag at half mast）飽和（saturation）保険（insurance）保障（guarantee）背景（background）本質（essence）比重（specific gravity）必要（necessity）編制（formation, organization）変圧器（transformer）弁護士（lawyer, attorney）弁証法（dialectics）標本（specimen, sample）標語（slogan, motto）表決（decide, pass a vote）表象（ドイツ語 Vorstellung）波長（wavelength）舶来品（imported article）博士（doctor）博物（natural history, natural science）不動産（immovables）労動（labour 日文労働）冷蔵（refrigeration）理論（theory）理念（ドイツ語 Idee）理事（director）理想（ideal）理性（reason）理智（intellect）力学（dynamics, mechanics) 例会 (regular meeting) 列車 (train) 淋巴 (lymph 音訳) 領土 (territory) 流体 (fluid) 流行病 (epidemic) 流行性感冒 (influenza) 倫理学 (ethics) 論理学 (logic)

こうやってみると、翻訳語はみな日本と中国と共通であるように見えるかもしれないが、そんなことはない。別々の訳語をもちいているものも多い。たとえば、post office は日本では「郵便局」、中国では「郵政局」、company は日本は「会社」、中国は「公司」、joint stock は日本は「株式」（これは音訓まぜこぜ語）、中国は「股份」、chairman は日本は「議長」、中国は「主席」、swimming は日本は「水泳」、中国は「游泳」、football は日本は「蹴球」、中国は「足球」、railway は日本は「鉄道」、中国は「鉄路」、その station は日本は「駅」、中国は「火車站」、だんだんややこしくなって locomotive は日本は「機関車」で中国は「機車」、それがひっぱる train は日本は「汽車」で中国は「火車」、automobile は日本は「自動車」で中国は「汽車」である。

猿マネ二字語

明治以後につくられた和製漢語は、上に見るように、その大部分が漢字二字でできている。三字以上の語もたまにあるが、たいてい二字以下の語のくみあわせである。「自動車」は「自動」と「車」、「流行性感冒」は「流行」と「性」と「感冒」、というふうにいる。

前に言ったように、漢語は一語一音節で、それが二つ結びついて安定する性質を持っている。しかし日本語になったばあいは、漢字二字と言っても音節数はまちまち（たとえば「理事」や「汽車」は二音節、「保険」や「波長」は三音節、「標本」や「流体」は四音節）なのだから、しいて漢字二字にまとめねばならぬ必然性はすこしもない。こういうのもむかしから、日本の実情にあおうとあうまいと、なんでも中国人のすることが高級だと思って猿マネをしてきた、その惰性である。

──こういうこともずいぶん由来が古いのである。横道になるけれど、たとえば奈良時代に朝廷が、国名はすべて二字とせよ、と命令を出してムリヤリに二字にさせている。日本の国名なんだから、音調がととのうことはだいじだけれど、二字にせねばならぬ理由は何もない。ただ中国風にしたいばかりに、みなさんもごぞんじのとおり、大和、摂津、和泉、播磨、伊勢、紀伊、尾張、甲斐、武蔵、安房、上野、下野、陸奥、出羽……などとすべて二字にした。しいて二字にするために、よけいな字をつけたしたり、逆に字をはぶいたり、ずいぶん無理をしている。たとえば和泉（いづみ）の「和」はよけいなつけたしだし、播磨（はりま）は播《は》と磨《ま》だけで「り」をあらわす字がはぶかれている。

明治の日本人も、なんとなく漢字ことばは二字でないとかっこうがつかないような気がする、という習性でなんでも二字にしたのであるが、もともとの英語が、ちょうど漢字二字におさまるようにできているわけではないのである。――もちろんそういうのもありますよ。white heat の「白熱」とか full base の「満塁」とかはちょうど漢字二字でぴったりだが、そんなのばかりではないということです。でもみなさんも、right は「権利」、duty は「義務」、home は「家庭」で happy は「幸福」、というふうに、英単語の訳語はたいがいのばあい漢字二字がぴったりすると、思っていらっしゃるのではないかしら。でもそれはただの錯覚です。

音の軽視、文字の重視

さきにのべたように、江戸時代以前の和製漢語は耳で聞いてわかる。そのかわり文字をにらんでも意味はわからない。大工は大男とはかぎらないし左官は左ききの官僚ではない。

明治の造語はちょうどこれと正反対である。耳で聞いても意味はわからないが字を見ると見当がつく。それはそのはずで、ひたすら文字の意味だけをたよりにつくってあるのである。その点ではまことに理づめにできている。電燈、電線、電信、電報、電話、電車、電流、電圧、電源、発電、送電、配電、停電、感電等々と「電」の字がついていればかならず電気に関係あることばである。電燈は電気の燈明で、電流は電気の流れで、停電は電気が停止するのである。すべて理づめである。

そのかわり音のことは何も考えていない。同音のことば——従来からある語と同音、もしくは新しくつくったことば同士が同音——がいくら発生しても気にしない。

さきにも言ったように、日本語の音韻組織はいたって簡単で、日本人が口から発することのできる音の数はごくかぎられている。その上、漢字は数千数万あっても字音の種類はわずかなものである（もともとはことなる音であるものが日本へくると同音になってしまうのである）。日本でコーとよむ字は三百以上ある（工、口、交、甲、高、好、校、硬、綱、鋼、抗、構、講、後、幸、広、郊、降、貢……）。トーとよむ字は二百以上ある。リョーとよむ字もそれくらいある。そういうのをくみあわせてことばをつくるのだから、同音の語の発生などを顧慮していては短期間に何千の語をつくり出せるはずがなかった。

さきほど出てきた「電線」はelectric wireの訳語でデンセンである。伝染病の「伝染」はinfectionの訳語でこれもデンセンである。electric wireの訳語をつくる際、「electric（電）のwire（線）だから電線がぴったりなんだけど、しかし病気の伝染とおなじ音になってぐあいがわるいなあ」などとは考えないのである。そもそも、伝染も電線もデンセンだ、ということが念頭にうかぶことがないのである。考えるのは字の意味だけなのであるから——。新字音語はすべてそういうふうにできている。

このことは、日本人の音声に対する軽視、ないし無頓着をもたらし、文字に対する重視をいっそうつよめた。電線が伝染とおなじではまずいじゃないか、と言う人にあったことがない。いやほとんどの日本人は、そもそも電線と伝染とがおなじだということに気づいていない。もしそんなことを言い出す人があったら「この人いったい何を言ってるのかしら」と変な顔をされるにきまっている。明治以後の日本人にとっては、「字がちがうことばは別のことば」なのである。——くどいようだがもう一度言っておきます。これは日本においてそうなのである。もともと漢語というものが、そんなふうにむやみに同音の語ができてしまう言語なのではない。漢語では、「伝染」はchuánrǎn、「電線」はdiànxiàn、まったく別の音である。この語だけを単独に聞いても、だれにもわかる。

要するに日本では、「伝染」と「電線」とがおなじであることを気にする者はだれもいない、ということです。無論伝染と電線だけではない。電燈と伝統とがおなじであることを気にする者もいない。電気と伝記を気にする者もいない。電化と殿下を気にする者もいない。なぜ気にしないのか。字がちがうからである。字がちがえば別のことばだというのが日本人の考えなのである。またふしぎなことに、字がちがうことばは聞いてわかるのである。

字がちがうというのは視覚の問題である。聞いてわかるというのは聴覚の問題である。なぜ耳で視覚をとらえられるのか。ふしぎではありませんか。

3　顛倒した言語——日本語

さあ、これでやっと「カテーの問題」の問題を説明する条件ができた。

こうした問題は、明治以後の日本人の言語生活にはじめてたちあらわれてきたことなのである。江戸時代以前にも字音語はあったが、「ギリ」や「ニンジョー」くらいだったら、漢字を参照しなくても音だけでわかりますからね。

日本人が「假定の問題」と「家庭の問題」とを正しく聞きわけるしくみを説明するのはむずかしい。これまでそれを説明した者はないと思う。説明しようとこころみた者も、説明の必要を感じた者もないだろう。日本においては、それは空気のようにありふれた、だれもその存在に気づかないことだからである。

「假定の問題」ということばを耳にした時、日本人はその文字（漢字）を思いうかべるのである。

ただし、頭のなかにその文字が書き出される、というのではない。実際、書いてみろと言われたら、かならず正しく書けるとはかぎらない。また、假定、家庭、過程等のことばを思いうかべ、それらの文字を頭のなかでならべて、そのなかからこの際において正しいものをえらび出す、というのでもない。相手の話はどんどん進行しているのであるから、そんな悠暢なことをしているゆとりのないことはあきらかである。

とにかく、その語を耳にした刹那、瞬間的に、その正しい一語の文字が脳中に出現して、相手の発言をあやまりなくとらえるのである。

そういう神業のようなことを日本人は日常不断におこなって、自身はそのことに気づかない。それはちょうど、人の内臓が腹のなかでその霊妙な機能をおこなって当人はそれを意識しないのとおなじである。

ただし、いかに鋭敏なる日本人なりといえども、すべての同音語をただしく聞きわけられるわけではない。瞬時に文字を思いうかべて相手の発言を正確にうけとる、その最大のヒントになるのは、その語の出てくる文脈、ないしは環境なのであるから、おなじ範疇に属しおなじ環境で出てくる、きわめてちかい関係にある同音語のばあいは、聞きわけはしばしば不可能である。しかしそういうばあいには、発言者もそのことを先刻承知であるから、必要に応じてちょっと言いかえてみたり、簡単な注釈を加えたりして用を弁ずる。この言いかえや注釈も、おおむね慣例ができている。

たとえば「ワタクシリツ（私立）の学校」と「イチリツ（市立）の学校」、「モジテン（字典）」と「コトバテン（辞典）」と「コトテン（事典）」、「エコーギョー（工業）」と「ヤマコーギョー（鉱業）」と「オコシコーギョー（興業）」、「イトノセーシ（製糸）」と「カミノセーシ（製紙）」、「ワタクシノシアン（私案）」と「ココロミノシアン（試案）」等々。

おもしろいのは、日本人がこういう言いかえや注釈つけをめんどうがらず、むしろたのしげにやっていることさえあることだ。まぎらわしいし、誤解のもとだからこういうことばは廃止しよう、と言う人はめったにいない。むしろ、わざわざまぎらわしい同音の語をあらたにつくる。「字典」「辞典」があるところへもう一つ「事典」をつくる。高等学校の略語「高校」がすでにあるのに、工業高等学校も「工高」と略称する。「排外思想」ということばがすでにあるのに、「拝外思想」ということばをまたつくる。すでに「企業」があるのに、さらにもうひとつ「起業」をつくる（もともと「企業」の意がいま言う「起業」とおなじことなのである。またもしあらたに事業をおこすというところに特に重点をおいて言いたいのならすでに「創業」という語がある）。まぎらわしい同音の語がふえるのをたのしんでいるかのようである。

音がおなじでも文字がちがえば別、というのが、日本人にとっては、わざわざ言うまでもない当然のことなのである。だから、いくら同音の語ができても平気なのだ。むしろそれをたのしんでいる。「キシャのキシャ、キシャでキシャ」なんぞと言って。——いやこれはちょっとふるいですけどね。

実体とそのかげ

日本人にとって、ことばの実体は文字なのである。音声は、それがおとすかげにすぎない。かげであるから、あちらのことばのおとすかげと、こちらのことばがおとすかげとがかさなっても気にしないのである。かげがかさなった時は、チラリとその実体のほうを見れば区別がつく。チラリとその実体を見る——それがすなわち文字の参照なのである。参照、と言ったって、無論いちいち辞書をひくんじゃないよ。上に言ったように、頭のなかで瞬間的にやるのだ。

「第一志望のコーコーに一発ではいってくれました」チラリと「高校」。「ほんとに親コーコーな子です」チラリと「孝行」。決してとりちがえたりうろたえたりすることはない。いやそもそも、それを言う者も聞く者も、ここに「コーコー」という音が二度あらわれたことに気づいていない。「コーコー」は「高校」「孝行」を呼び出すための瞬間的媒介にすぎず、文字が呼び出されたとたんに音はもう忘れられている。

言語学の教えをまつまでもなく、本来、ことばとは人が口に発し耳で聞くものである。すなわち、言語の実体は音声である。しかるに日本語においては、文字が言語の実体であり、耳がとらえた音声をいずれかの文字に結びつけないと意味が確定しない——コーコーという音は

「高校」あるいは「孝行」という文字に結びつけてはじめて意味が確定する──のであるから、日本語は「顚倒した言語」であると言わねばならない。

世界数千種の言語のなかで、日本語は比較的やさしい言語か、むずかしいほうか、また、ごくふつうの言語か特殊な言語か、ということがよく言われる。この「顚倒した言語」であるという点では、たしかに特殊な言語であろうと思う。

無論、ずっとそうであったのではない。江戸時代の人たちが、「バントさん」「ゴシンゾさん」あるいは「ゴフク屋」「デッチボーコー」などと言う時、それが、「番頭」「御新造」「呉服」「丁稚奉公」などの文字を参照しなければ意味が確定しないものであったはずがない。顚倒した言語になったのは明治以後である。

言うまでもなく、文字がことばの実体であるというのは、日本語のなかの字音語についてのことである。ただ、明治以後の日本では、社会のあらゆる方面が西洋化し、主要なことばはほとんどこれらの字音語がしめることになったために、顚倒がつねにあらわれることになったのである。

そして、何より重要なことは、日本人がそのことをすこしも意識していない、ということだ。だから、明治以後の日本人の言語生活のなかで漢字がどんなに重要な役割をはたしているかにも気づかない。政府や知識人がくりかえし漢字の削減、ないし全廃を主張してきたのもそのゆえである。いかに重要な役割をはたしているかに気づいていないから、「こんな時代おくれのものはなくしてしまいましょう」と気軽に言えるわけだ。

4 「歴史」と「進歩」

西洋は、あらゆる面で、日本より進んでいる。はるかに進んでいる。われわれはおくれている。なんとかして追いつかねばならない。——これが明治の、特にその前半のころの日本人の切実な気持であった。

いったいこの、「進んでいる」とか、「おくれている」とかいった考えかた、もののとらえかたそのものが、西洋人から学んだものであった。

江戸時代までの日本人は「聖人の書」を崇拝していた。人の世の真理はもとより、人の世の外にある宇宙の真理もすべて聖人によってあきらかにされていると信じていた。けれども、そんなすごい聖人を生んだ唐土《もろこし》は「進んでいる」、くらべて日本は「おくれている」と言った人はだれもいない。そんな考えかたがなかったのである。

つまり、「進歩」という観念を、日本人は西洋人から学んだのである。

人類の諸種族は、一本のまっすぐな道を目的地にむかってあゆむ多くの人々のようなものである。ある者は元気よく先頭を進んでいる。ある者は中間あたりをノロノロあるいている。ある者は最後尾で立ちどまったままである。——これが西洋人の「世界史」のとらえかたである。

パーレー万国史

明治の前半のころに青少年期をおくった人の書いたものを見ると、ハンでおしたように「パーレー万国史を読んだ」ということが出てくる。日本中の少年が、英語の勉強と歴史の勉強とをかねて、この本を読まされたのである。原題は『Peter Parley's Universal History』。いま言う世界史のことを当時は「万国史」と言った。

当時の少年たちはけっこうこれをいっぱしの歴史教科書と思ったらしいが、実はこれは、アメリカの子ども用の世界史よみものである。ピーター・パーレーというのは著者ではない。このピーター・パーレーというしたしみやすい名前のおじさんが、子どもたちに世界史のおはなしをするのである。いまなら中学校二年生程度の、ごくやさしい英語で書かれている。絵もたくさんついている。

世界史と言っても、みなさまがたが思いうかべるような世界史ではありませんよ。伝統的な西洋人の世界史だからね、われわれが住むこの世界は紀元前四〇〇四年に神によって創造された、という世界史だ。

だから人類の歴史はアジアからはじまる。アジアと言っても、もちろん日本だの中国だのではない。神さまがつくった最初の人類であるアダム（Adam）とイヴ（Eve）が住んだ「エデンの園」（The Garden of Eden）は、ユーフラテス川のほとり、いまのシリアのあたりにあった（ということになっている）。だから人類史はどうしてもアジアからはじまるわけだ。もともと西洋人が「アジア」と言ったのはあのあたりなんだよね。このエデンの園のアダムとイヴの絵もちゃんと出ている。いまの西洋の若い男女とおなじ顔つき体つきである。もちろんすっぱだかだが腰のまわりに何か巻いている。神さまは赤んぼを生んだんじゃなくて、いきなり二十歳前後の男女を生んだようですね。しかし神さまが創造した最初の人類がいまの西洋人とおなじ相貌であるというのは、たいへん重要なことである。神さまは自分自身に似せて人を創造した。その「人」はまさしく西洋人だ、というのですからね。

まあここはパーレー万国史の紹介が目的ではないから、そのあとアダムとイヴの子孫であるノアが出てきたり、モーゼが出てきたり、そしてついにイエス・キリストが出現して、それから……、というところも全部省略して現代にとびます。

いまこの地球上に住んでいる人類は四つのグレードにわけられる。

まず野蛮人（savages）。これは、泥と木で建てた家に住み、弓矢で狩をして生活している。アメリカのインデアン、アフリカの黒人の一部、アジアの住民の一部、オセアニア人の大部分がこの野蛮人である。

つぎは未開人（barbarians）。一部分石と泥を使った家に住む。ほとんど書物を持たず、教会も集会所もなく、偶像を崇拝している。アフリカの黒人の大部分、アジアの多くの種族がこの未開人である。彼らの習俗はしばしば非常に残忍である。

つぎは半文明人。住民はまああの家に住み金持は豪壮な宮殿に住む。人々は多くの精巧な技術を持つが、学校は貧弱で、ごく一部の者が読み書きを教えられる。支那人、インド人、トルコ人その他いくらかのアジアの種族、それにアフリカとヨーロッパの住民の一部がこれである。

そしてつぎに最高の文明人。よい家に住み、よい家具、多くの書物、よい学校、教会、集会所、蒸汽船、鉄道、電信を持つ。ヨーロッパの多くの部分、およびアメリカ合衆国の人たちがこの最高文明人である。

――これが、明治前半ごろの日本の若い知識人たちがひとしく学んだパーレー万国史の記述であり、すなわち西洋人の、人類史の把握である。さきほどわたしが申した、「西洋人は歴史を、一本の道をあゆむ人々のようにとらえる」というのがおわかりいただけると思う。

西洋人――わたしが言う西洋人とは人種としての西ヨーロッパ人である。したがって、西ヨーロッパ以外のところに住んでいる西ヨーロッパ人（たとえば西ヨーロッパ系のアメリカ人）をふくみ、西ヨーロッパに住んでいる他人種をふくまない。

西洋人はたしかに、体力も知力も強く、芸術的感性にもすぐれ、なにごとにも積極的な性質を持った優秀な人種である。しかしまた彼らは、自分たちが石の家に住んでいるから泥の家や木の家より石の家のほうが「進んでいる」と思い、自分たちが教会と集会所を持っているから教会と集会所を持つ者が「進んでいる」と思い、自分たちがキリスト教を信じているからキリスト教を信ずる者が「進んでいる」と考える、いたって簡単な精神の持主なのである。だから人類の歴史を一本道のようにしかとらえられないのである。

実は、人類諸種族の生活というのは、いろんなところであそんでいる子どもたちみたいなものなのだ。山の上の子どもたち、森の中の子どもたち、野原の子どもたち、川っぷちの子どもたち、海べりの子どもたち……。みなそれぞれの環境条件に応じ、またそれぞれの種族の性格に応じてあそびかたがちがう。

ところが、自分たちのあそびかたが絶対に正しいと信じている山の上の子どもたちから見ると、他の場所の子どもたちのやっていることが、「無知だなあ」「おろかだなあ」「非能率だなあ」「おくれてるなあ」と見える。かりに草原の子どもたちがみな年が小さくて、やっていることが全般に幼稚であっても、そのうちに成長するにつれて自分たちのあいだでくふうして気のきいたやりかたを発明するだろうし、発明しなくていつまでも幼稚のままであったとしても山の上の子に害がおよぶわけではないのだから、ほうっておけばよいのである。

それが、ほうっておけない。すっぱだかでくらしていようと、鳥やけものを打ち殺してナマで食っていようと、病気をオマジナイでなおしていようとそれぞれの勝手だのに、「ほらほらはだかはいけませんよ、パンツをはいてシャツを着ましょうね」「ほらほらナマで食べちゃ不衛生ですよ、焼いて食べましょうね」「ほらほらオマジナイで病気はなおりませんよ、正しい医学を教えてあげましょうね」と口を出し手を出す。みんなそれぞれの環境条件があり種族の性質があっての相違なんだから優劣ではないのに、一本道思想だから、自分たちとちがうのは自分たちよりおくれているのだと思うのである。一番迷惑なのは、自分たちの神さまが唯一のほんとうの神さまだと思って、世界中に自分たちの神さまを押しつけてまわることだ。

そうやって世界中に出かけて行って、教会や学校や病院をつくらせる。自分たちの政治のやりかたや経済のやりかたをまねさせる。自分たちの音楽やダンスをやらせる。自分たちの社交法や男女関係や教育を教える。はては世界中いたるところに自分たちとおなじような「国」(国家)をつくらせる。「国」なんてものは、それがあうところもあわないところもあるのに、地球上いたるところ全部国だらけにして、それでもう世界をグジャグジャにしてしまった。

西洋人以上の西洋人

困ったことに、この自信たっぷりで押しつけがましい西洋人を、全面的に尊敬し模倣したのが日本人なのだ。顔つきや体つきまではかわれないが、頭のなかはすっかり西洋人にゆずりわたしてしまった。いまや日本人は、ある面では西洋人以上に西洋人である。

さっきパーレーの万国史に、「現在の人類は四つのグレードにわけられる。われわれが最高文明人、つぎが半文明人」云々とあったね。どうやら日本人はこの半文明人のグループにはいっているようだ。明治のはじめごろの日本の知識青年はみなこれを勉強した。「なんだい、いばりやがって。半文明人だと？ 大きなおせわだ。おれたちにゃおれたちの流儀があるんだ」。当時の日本人はなぜそう反撥しなかったのだろう。そう思いませんか？

反撥しなかった。「そうか。われわれは半文明人なんだ。われわれはおくれているのだ。西洋に学び、文明開化して、一刻も早く最高文明人の仲間に入れてもらわなくては」。そう思った。文明開化より何より、まずこの一本道歴史観を信奉した。はるか前方を進んでいる西洋人を仰ぎ見た。このごろはやりのことばで言えば「坂の上の雲」ですかね。そして、西洋人といっしょになって、彼らがサヴェッヂズとかバーバリアンズとか呼んでいる連中を、自分らよりもっとおくれているやつらとみなした。彼らには彼らのやりかたがある、西洋人やわれわれのやりかたとちがっていても、それは「ちがっている」のであって「おとっている」のではない、などとは思わなかった。西洋人以上の洋化主義者、西洋人以上のおせっかい屋になった。

この一本道歴史観と「進歩」という観念とが一体なのである。「進歩」は progress の訳語である。江戸時代までの日本には「進歩」ということばはなかった。つまりそういう観念がなかった。

江戸時代だって、いくらか知識のある人なら、すこしはむかしのことを知っていた。むかしといまと、いろいろちがう点のあることを知っていた。しかし、われらの時代は鎌倉時代より進歩している、とか、おなじ江戸時代でも、慶長元和のころより文化文政のいまのほうが進歩している、などとは思わなかった。まして、歴史という道筋の上を、ある種族はわれわれより先をさっそうとあるいており、ある種族はわれわれよりうしろでマゴマゴしている、などとは考えなかった。そういう意味では、いまの日本人が考えるような「歴史」というものを知らなかった。

明治になってそれを西洋人から学び、西洋人が先をあるいているとみとめ、急速に追いつこうとした。だから、一方では西洋の物や概念をかたっぱしから漢字語に訳してとりいれながら、一方では、西洋人は漢字なんか使っていない、こういうおくれた文字を廃止しよう、という運動がおこって政府もそれを支持し実施をめざす、という、いまから考えればバカバカしいようなことがおこったのである。

なお右にのべたような、一本道の歴史観、世界観は、いまもかわっていませんね。先を進んでいる国を「先進国」と言う。おくれている国を以前は「後進国」と言ったが、いまは「発展途上国」と言う。ちょっと言いかたをかえただけでおなじことだ。「発展途上国」というのは、かならず「先進国」とおなじ道を進んで発展しなければならぬ、と頭からきめてかかった呼びかたである。いやウチは別に発展なんかしたくありませんよ、と言っても、そうはゆかぬ、かならずわれわれとおなじ道をあゆまねばならぬ、というのである。

進歩の過程としての歴史

漢字についての本だのに、「歴史」だの「進歩」だのということについてながながと話をしたのは、もちろん一つには、それが明治以後の漢字のあつかいに大きなかかわりを持つからだが、また一つには、わたしが、日本人は「進んでいる」とか「おくれている」とかの「進歩」の観点で歴史をとらえることを知らなかった、と書いたのを見て編集者が、「でも日本の歴史は進歩発展してきたのではありませんか?」というナイーヴな質問を呈してきたからである。

かりに日本の歴史が進歩発展の歴史だとしても、「そうであること」と、当事者が「そのことを知っている、意識している」こととは別である。右の質問は、たとえば、「この時日本人ははじめて自分たちの体が細胞でできていることを知ったのである」という記述に対して、「でも日本人の体はその前から細胞でできていたのではありませんか？」と言うのとおなじである。つまり、「そうであること」と「そうであることを当事者が知っていること」とは別である。江戸時代の人々の一般的生活水準が平安時代のそれよりも実際向上していたとしても、だから江戸時代の人たちが「われわれの時代は平安時代より進歩している」と意識していたということにはならぬ、ということです。

なおみなさんのなかには、江戸時代までの日本人に「進歩」の観念はなくても、「歴史」の観念はあったろう、と言う人があるかもしれない。しかし、いまの日本人が考えているような「歴史」の観念はなかった。もちろん、「史」ということばはあった。「十八史」とか「六国史」とか、あるいは「大日本史」とか「日本外史」とか。けれどもこれらの「史」の意味は、いまのことばで言えば「記録」である。これらの「史」はすべて「時間の経過を追っての記録」の意である。

その意味で、西洋の学問をまなんだ日本人が最初に書いた日本通史を『日本開化小史』と題したのはおもしろい。「開化」は「進歩」である。progressをいまの日本人は「進歩」と訳すが、明治のはじめごろの日本人は「開化」と訳したのである。この本は尻切れトンボみたいな、いまから見ると出来のわるい本だが、とにもかくにも、日本の歴史を進歩の過程としてとらえた（とらえようとした）最初の本である。

「歴史」も「進歩」も、明治のはじめに日本人が西洋人から学んだ観念なのである。

第四章　国語改革四十年

1　漢字をやめようという運動

前の章では、——人類の歴史は一本道である。この道の上を各国各種族があゆんでいる。さきをあゆんでいるのは「進んでいる」のであり、うしろのほうでマゴマゴしているのは「おくれている」のである——という、そういうものの見かたを日本人は西洋人から教わったというお話をしました。日本人が西洋人から教わったことのうち、これが根本である。

そこで話は明治のはじめだ。日本は西洋よりはるかにおくれている。なにもかもがおくれている。急速に進まねばならぬ。その方法はかんたんである。なにもかも西洋人のやっているとおりにやればよいのである。——というわけで、政治、経済、産業、交通はもとより、学問も芸術も教育も、あらゆる事物を西洋に学びはじめたのである。

そのあらゆる事物にふかくかかわる最重要の事物は、ことば、すなわち言語である。いかなる法律も制度も学問も技術も、われわれは言語を媒介にして学ぶのであるから。

しかるに、日本の言語と西洋の言語とは大いにことなる。大いにことなるというのは、日本の言語が大いにおくれているということである（当時の日本人は当然のごとくそう思った）。追いつかねばならない。日本の言語を西洋の言語のようなものにしなければならない。

言語は、日本が西洋からまなばねばならぬ事物の一つであるとともにあらゆる事物を学びとるための手段でもあるから、その改良、あるいは変革が課題として提起されたのも早い。すでに明治維新よりも前に、幕臣前島密が将軍に漢字廃止を建言している。

明治になってからは、特にその最初の二十年、言語改革論がさかんにとなえられた。

その主張はさまざまだが、大きくわければ二つのグループにわけられる。一つは日本語を捨てようという主張であり、いま一つは、日本語は捨てないが漢字を捨てようという主張である。

まず一つめの主張についてのべよう。

これは、おくれた言語である日本語を全面的に捨て去り、英語を日本の国語にしよう、という主張である。

英語採用論を主張した人は数多いが、その最も著名なのは、文部大臣であった森有礼である。

森の考えは、アメリカで刊行した英文著書『日本の教育』(Education in Japan, 1873)、特にそのなかの、米国の学者ホイットニーにあてた手紙に見えている。そこで森は、「わが国の最も教育ある人々および最も深く思索する人々は、音標文字 phonetic alphabet に対するあこがれを持ち、ヨーロッパ語のどれかを将来の日本語として採用するのでなければ世界の先進国と足並をそろえて進んでゆくことは不可能だと考えている」とのべている。もって当時の日本の知識界の雰囲気を知るに足る。これに対してホイットニーは、言語はその種族の魂と直接に結びついたものであるから、そう安易に放棄するなどと言ってはならない、と森に忠告した。

森はまた、言語だけでなく人種も変えるべきであるととなえ、日本の優秀な青年たちはアメリカへ行って、アメリカ女性と結婚してつれ帰り、体質・頭脳ともに優秀な後代を生ませよ、とすすめた。

いまそういう話をすると、森という人は頭が変になっていたのではないか、と言う人がある。しかし森は正気であり、のみならず有能で誠実な政治家であった。森は若いころからヨーロッパに留学し、西洋をよく知っていた人である。日本人は西洋人のようにならねばならぬ、と本気で考えれば、体質改良、言語変革を考えるのはむしろ当然であったろう。日本語を日本語のままで英語やフランス語のような言語に改良するのはとても無理だ、と考えるほうが自然である。日本人同士結婚して生れた子を西洋人なみの体格に育てろ、というのが無理であるように。

なお森有礼にせよ、すこしあとの高田早苗（早稲田大学総長、文部大臣などを歴任）などにせよ、英語を日本の国語にすることをとなえた人たちはみな、日常の会話はともかくも、すこし筋道立ったことを話す際、特に文章を書く際には、日本語よりも英語のほうが容易であった人たちである。明治の前半ごろに教育を受けた人たちは、日本語の文章を書く訓練を受けたことはなく、もっぱら西洋人の教師から西洋語の文章を書く訓練をきびしく受けたのであるから、日本語の文章は書けないが、英語やフランス語なら自由に書ける、というのはごくふつうのことであった。その点、昭和の敗戦後に、フランス語を国語にするのがよいと言った志賀直哉などとは選を異にする。なおまた、言うまでもないことだが、明治前半ごろまでの日本語の文章というのは、それを書くのに特別の訓練を要するものであった。こんにちの日本人が書くような、だらだらした口語体の文章というのはまだなかった。文章は、話しことばとは別のものであった。

音標文字論

もう一つの主張が、音標文字論である。

西洋の言語と日本の言語との最も大きなちがいは、西洋では音標文字をもちいているのに対して日本では漢字をもちいていることである。すなわち進んだ言語は音標文字をもちいるのである。であるから日本も音標文字を採用して、進んだ言語に脱化しなければならない——とこれら論者は主張した。

西洋の言語と日本の言語、と言いながら文字のことばかり気にするのは甚だ奇妙だが、従来日本の知識人は、書物をつうじて異文化をとり入れてきたので、文字がことばであると思っていたのである。

音標文字（phonogram）というのは、意味にかかわりなく、音のみをしるす文字である。アルファベットは音標文字である。cat は、c、a、t の各文字は何らの意味を持たず、cat という三字のくみあわせによって〔kæt〕という音をあらわし、〔kæt〕とよばれる動物を示す。日本語のかな表記「ねこ」「ネコ」も同様である。「表音文字」と言ってもおなじことだが、明治時代には phonogram のことを「音標文字」と言ったし、いまもおおむねそうであるので——みなさんが英語の辞書で phonogram をひいたら「音標文字」と出ていると思う。あんまり小さな辞書だとそもそも phonogram という単語そのものが出てないかもしれませんけどね——「音標文字」と言うことにしておきます。

アルファベットやかなのような音だけをあらわす文字に対して、漢字は、一字一字が一つ一つのことば（単語）をあらわしている。これを「表語文字」とよぶ。「猫」という字は猫ということばをあらわす。

漢字を「表意文字」と言う人があるがそれは不適当である。漢字は「意」のみをあらわしているのではなく、これまで再々言ったように「語」をあらわしている。

典型的な表意文字は算用数字ですね。1を日本人はイチと言い英米人はoneと言いドイツ人はeinsと言い、その他各言語によってみなちがう。1、2、3……は「意」のみをあらわしている。特定の音を持たない。すなわち特定の「語」を表記したものではない。その他、天気予報のお天気マークや傘マークなどもそうで、「意」のみを持っている。道路入口の「⊘」は「自動車はここから先へはいってはいけませんよ」の意味をあらわし、塀の「⛩」は「ここでおしっこをしてはいけません」の意味をあらわす。まああいうのが「表意文字」でしょうね。

音標文字を採用するというのは、すなわち漢字を廃止することである。したがって「音標文字論」と「漢字廃止論」とはおなじものである。

日本政府は明治三十年代にいたって、音標文字化を国の方針とした。

中国の音標化

中国も、日本よりややおくれて、音標文字化を国の方針とした。一九一二年に成立した中華民国も一九四九年に成立した中華人民共和国も音標文字化をめざした点ではおなじだが、採用した文字がちがう。

中華民国は、「注音字母」という日本のカタカナのような文字を新たに作った（声母がㄅ、ㄆ、ㄇ、ㄈなど二十一、韻母がㄚ、ㄛ、ㄜ、ㄝなど十五、合計三十六字、声調は別につける。縦にも横にも書ける。たとえば「革命」を横書きするとㄍㄜˊㄇㄧㄥˋ)。

中華人民共和国は拼音羅馬字《ピンインローマツー》というアルファベットをもちいる方式を作った（「革命」はgémìng、横にしか書けない）。

注音字母はきわめて合理的にできている。ただ、見なれぬ字をおぼえないといけないのでやっかいである。拼音羅馬字は、アルファベットを知っている者には新たな字をおぼえる必要がなく、したしみやすい。そのかわりあまり合理的にはできていない。

　ここで、中華人民共和国の「簡体字」について説明せよと注文がついた。日本も中国もそうだが、国家の方針として音標文字化（つまり漢字廃止）をきめた。しかし一挙にやるのではなく「渡りの期間」をおくことにした。日本のばあい、漢字の数をへらし、字体を簡略化して当分の間使用をみとめることとしたのはごぞんじのとおり。中国のばあい、中華民国は、音標文字化をかかげ注音字母の普及にのり出したが漢字に手をつけぬうちに大陸でほろんだ。台湾に移ってからは共産党との対抗上むしろ漢字保存の傾向が強くなった。中華人民共和国は漢字を簡略化して当分の間使用をみとめ、その間にローマ字を普及して遠からぬ将来完全に廃止することとした。その後、日本も中国も、音標文字化の方針を正式にとりけしたわけではないのだが、事実上漢字廃止にすすまず、廃止までの「渡りの期間」用だったはずの簡略字体があたかも正式字体になったような中途半端な状態のまま停止している。中華人民共和国の簡体字は、几（幾）、个（個）、广（廣）、义（義）、干（乾、幹）、丰（豐）、开（開）、无（無）、书（書）、币（幣）、习（習）、乡（鄉）、认（認）、云（雲）、儿（兒）のごときものである。日本人はしばしばこれらの字を見て「けったいな字」と笑うが、日本略字も似たようなもので、目クソ鼻クソを笑うのたぐいである。藝を芸とし、缺を欠とし、假を仮としたのなどは中国簡体字よりわるい。

ほんとうは、さきにも言ったように、漢語には漢字が一番あっているのである。当然のことだ。漢字は漢語を表記するためにうまれたものなのだから――。しかし中国人は「人類の文字は象形文字から音標文字へと進む。それが文字の進歩である」と思った（いまもそう思っているらしい）。なぜそう思ったのかというと、西洋で音標文字を使っているからである。

本家本元すら漢字を捨てようというのだから、日本人が捨てようとしたのはふしぎでない。もともと日本人にとって漢字は借りものであり、日本語とあわなくて苦労しているのである。実際、「かつてわれわれは支那に学んだ。このたび支那よりも西洋のほうが優秀であることがわかった。ゆえに西洋に乗りかえるのに何の不都合があろう」というのが、英語採用論たると音標文字論たるとを問わず、論者たちの一致した見解であった。

明治二年に出た福沢諭吉の『世界國盡《せかいくにづくし》』。これは文明にむかう世界の諸国諸種族を、七五調で調子よく紹介したものである。中国についてはこう言っている。

……抑《そもそ》も支那《から》の物語、往古陶虞《むかしとうぐ》の時代より、年を經ること四千歳《しせんざい》、仁義五常を重《おもん》じて、人情厚き風《ふう》なりと、其名《そのな》も高く聞えしが、文明開化後《あと》ずさり、風俗次第に衰へて、徳を修めず知を研《みが》かず、……（以下阿片戦争に大敗したことをのべて）……猶《なほ》も懲《こり》ざる無智の民、理もなき事に兵端《へいたん》を、妄《みだり》に開く弱兵は、負《まけ》て戦ひ又負《まけ》て、今の姿に成《な》り行《ゆ》きし、其有様ぞ憐《あは》れなり。

歴史の大道を進むどころかずるずる後退している。現在では日本よりも後方に位置している、という見かたである。ずいぶんバカにしているようだが、中国の進歩的な知識人（たとえば魯迅のような）の見かたもこれとおなじであった。

したがって、文字についても、軽快で能率的な音標文字アルファベット、対して、おくれた鈍重な象形文字漢字、というのが当時の見かただった。魯迅が「漢字がほろびなければ中国がほろびる」と言ったように、漢字は進歩の足かせと見られた。

ゆえに当然、中国も日本も漢字を捨てようとしたのであった。

当時の人たちは、日本人にせよ中国人にせよ、言語というものを甘く見ていた。各々の言語というのは、日本語で「そら」と言うものを英語ではsky と言う、「ねこ」と言うものをcat と言う、あるくのをwalk と言い、わらうのをlaugh と言う、という単なるおきかえと思っていた。

実は言語というのは、その言語を話す種族の、世界の切りとりかたの体系である。だから話すことばによって世界のありようがことなる。言語は思想そのものなのだ。たとえば、brother, sister にあたることばは日本語にはない。——そう言うとみなさん、「兄弟」「姉妹」ということばがあるじゃないか、と言うかもしれない。でもね、英米人はたとえばI have two sisters. というふうに言うけれど、日本人が「わたし姉妹が二人あります」と言うことは決してないでしょう？「姉が二人あります」とか「姉が一人、妹が一人あります」とか言う。つまり、brother とか sister とかいうのは、自分のきょうだいについて、男女の別ははっきり区別するけれども、自分より上か下かは区別せず、ひっくるめてとらえるとらえかただ。対して日本語は、「上か下か」をわけてとらえる。そういうとらえかたしかない。ところが英語には、日本語の「にいさん」「ねえさん」「兄」「姉」「弟」「妹」にあたる単語はない（辞書には elder brother とか younger sister とかの語が出ているけれども、それは複合語であるし、実際に英米人が I have an elder brother and two younger brothers. なんて言いはしない）。つまり、日本語と英語では「世界のとらえかた」がちがうわけなのだ。

ところが当時の人たちには、言語がそういう、それぞれの種族のものの考えかた、世界のとらえかたにかかわる重いものだということがわからなかった。それを知るための条件がなかった。世界の種々の言語をよく知ればおのずとわかってくるのだが、自分たちの言語だけしか知らず、そこへ急に規模雄大できらびやかな西洋文明を見て、目がくらんだ。だからかんたんに、言語改革、というようなことを言い出すことができたのである。

かな派とローマ字派

どういう音標文字をもちいるかについては意見がわかれた。大きくは「かな派」と「ローマ字派」とにわかれる。前者は漢字を廃止してかなのみで日本語を表記しようとする人たち、後者は漢字もかなも廃してローマ字で日本語を表記しようという人たちである。

「かなのくわい」は明治十六年結成、総裁は皇族で、会員は約一万人、「羅馬字會」は翌十七年結成、朝野の貴顕紳士をつらねて会員約二万人、といずれも一時は非常に隆盛であったが、内部闘争に力を消耗して漢字を相手に戦闘するに至らず、前者は明治二十三年に、後者は二十五年につぶれた。ただし、漢字を廃止してかなに、或はローマ字に、という思想がつぶれたのではない。同一趣旨の組織はつぎつぎに生れて昭和におよび、特に「カナモジカイ」のマッサカ・タダノリ(松坂忠則)は、戦後の国語改革をリードした。

かな論者は、幕末の前島密、明治初期の大槻文彦、物集高見《もづめたかみ》など大物が多い。ローマ字論者は、物理学者田中館愛橘《たなかだてあいきつ》、田丸卓郎など理科系の学者が多い。帝国大学総長外山正一《とやままさかず》は「かなのくわい」と「羅馬字會」の両方の会員であった。外山は言う。「我々の敵は漢字である。その漢字がまだ倒れていないのに、倒したあかつきには天下はオレのものだ、いやオレのものだ、と、まったく敵と戦わないでもっぱら味方同士で戦争しているのはばかばかしい。だから自分は両方にはいって、まず漢字を廃止するために戦え、と説いているのである」と。まことに正論である。

日本の音標化論、およびかなとローマ字との得失等については、田丸卓郎の『ローマ字國字論』（岩波書店）をおすすめする。この本は、最初大正三年（一九一四）に刊行され、大正十一年に改訂版、昭和五年に再改訂版が出て（翌々七年著者歿）、それが平成十三年（二〇〇一）のいまもなお現役で刊行中という、おそらく現在、日本で最も長寿をたもっている本である。ごくわかりやすく書かれていて、これをよめば、明治から昭和にかけての雰囲気や、各派の論点、主張などがよくわかる。一方またたとえば、文化遺産の継承、つまり過去の日本人とこれからの日本人とのつながりをどうたもってゆくか、というだいじな問題について、著者の説くところがいかにおざなりであるかを見ると、これほど聡明な、まじめな、良心的な人であってもこうであったのだなあと、感慨にとらえられるのである。当時の多くの日本人は、ひたすら「坂の上の雲」を見つめ、自分たちの根っこのこと――いかにまずしいものであろうと、この根っこを切りはなしてしまっては、われわれ日本人はその立つ地面をうしない、世界にただよう浮草になってしまうのだ、というようなことを考えなかったのだ。無論それは戦後の日本人もまたそうなのであるが――。

なお田丸卓郎は、夏目漱石とともに、寺田寅彦の熊本五高時代の先生である。その人柄については寅彦の「田丸先生の追憶」がおもしろい。

音標文字を採用するとすれば、事実上かなとローマ字しかない。「かな派」と「ローマ字派」とが生じたのは当然である。しからば両派が、どちらをとるかについて争ったかといえば、それはほとんどなかった。「かな派」はその内部で、カタカナをもちいるかひらかなをもちいるか、またどういう書きかたをするかでいくつかの分派にわかれ、また「ローマ字派」は、英米式にするか日本式にするかで二つにわかれ、それぞれ分派同士の主導権争いで力を消耗したからである（英米式とは富士山の富士を Fuji と書く方式、日本式は Huzi と書く方式）。

音標文字化すれば、以後の日本人は、それまでの日本人が書きのこしてきたものをよめなくなるが、明治のなかばごろまでは、そのことを考慮した者はほとんどなかった。明治初めごろの日本人は、それまでの日本のいっさいを、何の価値もないものと思っていた。かえって日本へ来た西洋人のほうが、そんなにかんたんにいっさいの過去を捨ててしまっていいのかと心配したくらいである。

たとえば『ベルツの日記』明治九年十月二十五日の条にはこうある。

ところが――なんと不思議なことには――現代の日本人は自分自身の過去については、もう何も知りたくないのです。それどころか、教養ある人たちはそれを恥じてさえいます。「いや、何もかもすっかり野蛮なものでした（言葉そのまま！）」とわたしに言明したものがあるかと思うと、またあるものは、わたしが日本の歴史について質問したとき、きっぱりと「われわれには歴史はありません、われわれの歴史は今からやっと始まるのです」と断言しました。（……）これら新日本の人々にとっては常に、自己の古い文化の真に合理的なものよりも、どんなに不合理でも新しい制度をほめてもらう方が、はるかに大きい関心事なのです。（菅沼竜太郎訳）

「新日本」ということばがしばしばとなえられた。日本は白紙状態で新しく建国にのりだすのだ、というのが多くの人の考えであった。したがって、これまでの日本人の書きのこしたものを、これからの日本人がよめなくなっても、それはさしつかえないのである。どっちにしてももう用はないのであるから。

言語は新日本建設の道具であり、したがってこれをわかりやすく能率的なものにするのがよいのである。日本の言語は、これからの日本人が、過去の日本人と語りあうための道具でもあるのだ、とはだれも考えなかった。

そう、右とおなじことが、約八十年後、昭和敗戦後の日本でもう一度おこるのである。淡泊で、腰が軽く、変り身のはやい点において、日本人は、世界の諸種族のなかでもおそらく最右翼にあると言ってよいと思われる。

上田萬年と国語政策

国語改革論議が最もさかんであったのは、上述のごとく、明治の最初の二十年間であった。

では音標文字化は進んだかと言えば、すこしも進まなかった。それどころか、さきに言ったように、似たりよったりの音を持った数千数万の漢字語がつくられた。それらは、確実に西洋化しつつある日本人の生活の全局面において、それなしにはすまないものになった。それらの新語はどれをとってみても、漢字のうらづけなしには用をなさない。漢字の使用は江戸時代にくらべて飛躍的に増加した。

政治も産業も学術も教育も、何もかもが、漢字がなければ——正確に言えば漢字に訳された西洋語や西洋の概念がなければ——動かなかった。漢字の廃止は、江戸時代のうちならば、よほどの無理をすればあるいはできたかもしれぬが、もはや不可能であることはあきらかであった。しかしそのことが、当時の人たちには見えなかったらしい。日本は音標文字化をめざしていた。

明治の国語政策(音標文字化)を指導したのが上田萬年である。慶応三年生れ、帝国大学和文学科卒、明治二十三年博言学研究のためドイツに留学、同二十七年帰朝、帝国大学博言学科教授。三十一年国語学研究室創設とともに教授。三十三年文部省国語調査委員。三十五年同国

語調査委員会委員、同主事。昭和十二年歿、七十一歳。
名の萬年はカズトシとよむらしいが一般にマンネンと言う。こういう名乗系の名にしいてふりがなをつけるのはおろかしいことである。
こんにちの言語学のことを明治の二十年代には博言学と言った。明治三十三年言語学と改称。

上田萬年は、日本語をどうするか、という問題を研究するため、日本政府よりヨーロッパに派遣されたのである。これはかなりばかばかしいことであった。日本語をどうするかの答がヨーロッパにあるはずがない。

ヨーロッパの言語学は——と言っても言語学という学問はヨーロッパの学問なのだからつまり言語学という学問は——現に存在する、もしくはかつて存在した諸言語について、そのしくみやはたらきを、あるいはその類縁関係や系統、変遷の道筋を研究する学問である。特に当時は、印欧語族（インドヨーロッパ語族）という、東はインドから西はイギリスにいたる広大な範囲で話されているあまたの言語がみな共通の祖語から出発した一大家族であるらしいことがわかって、その系統関係の研究がさかんにおこなわれている時であった。

ところが上田萬年の任務は言語学の研究ではなくて国語政策である。国語政策というのは一つの国の政府がこれからの国語をどうするかという政治の問題であって、言語学の研究とはまったく別のことである。国語政策の指針を言語学にもとめたのは、「解剖學者や細菌學者を招いて病氣の診斷を乞うたやうなものであつた」と時枝誠記博士は皮肉っていらっしゃる。ところが明治政府は、学問という以上はかならず政治に指針をあたえてくれるものと思って若き秀才上田萬年をヨーロッパへ送り出したわけだ。

帰ってきた上田萬年はこう言っている（明治二十八年五月大学通俗講話会における講話）。

今日の私はどこまでも支那文字の様な意字に反對であるのみか、日本の假名の様な一《ひとつ》の綴音を本とする「シラビック、システム」の文字にも大不賛成なのであります。それで敢て羅馬字とは申しませぬが、その羅馬字的の母音子音を充分に精しく書きわけることのできる「フォネチック、システム」の文字といふものを、最も珍重するものであります。

まあこれくらいのことなら、何も四年間もヨーロッパへ行かなくったって、二万人もいる日本のローマ字論者がはじめから言っている。

ちょっと説明をくわえるなら、「支那文字」というのは漢字のことである。戦前の学者には支那文字と言う人が多くあった。この呼びかたのほうがよい。漢字と呼んでもおなじことなのだが、どうも「漢字」と言うと、日本語をあらわす文字であるように思う人が多い。「支那文字」と言うと、支那でできた支那語のための文字であることがだれにもあきらかであり、性格のことなる日本語を書きあらわすには不適当かつ不便な文字であることがわかりやすい。

「意字」は表語文字。

「綴音」。テイオンまたはテツオン。通俗講話（一般の人むけの学術講話）だから多分テツオンと言ったのだろう。スペリングのことだがここでは音標字の意でもちいている。

「シラビック、システム」。音節すなわち人の口から出る最小単位の音を一字に書く方式。日本語のばあいかながそうである。漢語のばあいは漢字がそうである。

「フォネチック、システム」。音節をさらにその音を構成している要素に分解して書きあらわす方式。日本語のばあいローマ字がそうである。漢語のばあいは注音字母および拼音ローマ字がそうである。

たとえば日本語の「カキクケコ」（「かきくけこ」と書いてももちろんおなじ。以下カタカナで書く）の五音は共通の子音を持っている。そのことはむかしの日本人にもわかっていたからカキクケコを一行にならべたのである。しかし文字の上ではその共通子音はすこしもあらわれていない。これを子音と母音に分解して ka ki ku ke ko と書くと k という共通子音を持つことが一目瞭然である。同様に日本語のアカサタナハマヤラワは共通の母音を持つがそれは文字の上にはあらわれていない。これを a ka sa ta na ha ma ya ra wa と書けば共通母音を持つことがだれでもわかる。上田萬年はこの分解方式のほうがよいと言っているのである。

漢語のばあい漢字はすべて一音節一字で、日本語のかなとおなじく、その字を見ただけではその音節の構成要素はわからない。詩、殺、社、誰、手、山……とならべてもこれが共通の子音を持つことはわからないが、ㄕ、ㄕㄚ、ㄕㄜ、ㄕㄟ、ㄕㄡ、ㄕㄢ……（声調符号は略す）もしくはshi, sha, she, shei, shou, shan……と書けば共通子音を持つことが一目でわかるわけだ。漢字は「シラビック、システム」、注音字母および拼音ローマ字は「フォネチック、システム」にあたるわけである。

廃止を前提に

明治三十五年に国語調査委員会の官制ができた。

上田萬年の経歴をのべたところで言ったとおり、その前明治三十三年に、文部省に国語調査委員というのがおかれている。いったいこの明治三十三年というのは、それまで二十年余の国語改革論議をうけて文部省が動き出した年である。この年に小学校令を改定して、教科書で「字音棒引き」を実施している。漢字の音《おん》をかなで書く際――中学校以上や一般社会では字音語は当然漢字で書くが、小学校ではかなで書くことがあるわけだ――長音を長音符（いわゆる棒）であらわすことにした。たとえば小学校は「ショーガッコー」、一年生は「イチネンセー」、教科書は「キョーカショ」というふうに書く。もっともこれは評判がわるくて、八年間やっただけで明治四十一年に廃止になった。それに、小学生にとってもこれはむずかしかった。何が字音で何が日本語（和語）であるか、小学生にはわからないから。たとえば相談は「そーだん」だが、「そーだよ」はだめで「さうだよ」。東京は「とーきょー」だが今日を「きょー」はだめで「けふ」である。

その明治三十三年に、国語調査委員をおいて正式に委員会をもうける準備にとりかかり、いよいよ三十五年に本格的に官制をしいて国語調査委員会が発足したのである。

国語調査委員会の委員長は加藤弘之で主事が上田萬年である。ほかに委員が十一人と補助委員が五人いる。実質的に委員会をリードしたのは加藤と上田である。加藤は、日本の国語改革のために秀才を一人選んでヨーロッパに派遣し博言学を研究させるよう政府に建議した人で、上田はその選ばれてヨーロッパへ行った秀才である。この両人につぐ領導的位置にあったのが大槻文彦と芳賀矢一である。これらは大物だ。対して補助委員は若手の俊秀で、たとえば新村出（当時二十七歳）がはいっており、新村が京都へ行ったあとは山田孝雄がくわわった。

国語調査委員会は、最初に委員会の根本方針四箇条と調査事項六箇条とをさだめた。その根本方針第一条に、

　文字ハ音韻文字（「フォノグラム」）ヲ採用スルコト、シ假名羅馬字等ノ得失ヲ調査ス

ルコト

とある。すなわち漢字を廃止して音標文字にすることは最初から前提になっており、かながいいかローマ字がいいかを研究するのが委員会の役目ということになっているのである。

新村出がのちにこう書いている。

當時末輩に列してゐた自分ながら、根本の第一方針に對して大不滿であつたが、これは設立當初の主旨が既に動かす可らざるものとなつてゐたので、何とも致し方なかつた。

（「國語問題と國語教育」）

根本方針は既定であって、討議の対象とはならなかったことがわかる。

この国語調査委員会は十二年後の大正三年にいったん廃止され、その後臨時国語調査会と名をかえて再建され、昭和九年さらに国語審議会と名をかえた。性格は一貫してかわっていない。この国語審議会が戦後の国語改革を実行した。

当初の国語調査委員会の補助委員の一人に上田萬年の弟子の保科孝一がいる。いったい大学で言語学ないし国語学を学んだ人は学者であって、運動家になった人はないのだが、この保科孝一は例外で、国語改革の運動家あるいは実践家となり、明治、大正、昭和と実に四十数年にわたってこの文部省の機関――名称は上述のとおり国語調査委員会、臨時国語調査会、国語審議会とかわった。以下一々列挙するのはわずらわしいので「政府国語機関」と言う――に座をしめて、民間出身のマッサカ・タダノリ（松坂忠則）らと協力してついに悲願の国語改革をなしとげた。つまり師上田萬年の意図をつらぬいたわけだ。もっとも当の上田萬年は、その晩年のころには、かつての自分の考えはまちがっていた、と言っていたそうである。山田孝雄がそう書いている（文藝春秋昭和十七年十月号。日本國語會編『國語の尊嚴』昭和十八年國民評論社のなかで大西雅雄が引用している）。

政府国語機関は、明治三十五年に発足してから昭和二十年敗戦まで四十数年間に、いくたびも内閣に対して国語改革案を建議した。ただしその建議が、政令となって実施にうつされたことは一度もない。案が公表されるたびにはげしい反対論がおこったからである。具体的にどういう人のどういう反論があったかについては、福田恆存『國語問題論爭史』（昭和三十七年新潮社）を見るとよい。現在全文をかんたんに見られるのは、森鷗外の「假名遣意見」（明治四十一年）、芥川龍之介の「文部省の假名遣改定案について」（大正十四年）など。いずれも全集にはいっている。言語学者、国語学者では、山田孝雄、橋本進吉、新村出などがしばしば反対論をのべた。それらの論はそれぞれの著作集におさめられている。

建議はつねに二つの柱から成っていた。一つは表音的かなづかい、一つは漢字制限である。本書は漢字についての本であるから、かなづかいのことは省略し、漢字についてのべよう。政府の目標は一貫して音標文字の採用であるが、一挙にやるのではなく、漢字を制限し、一部漢字の使用をみとめる「渡りの時期」をおき、ついで漢字を全廃する二段階方式をとった。よって建議のたびに許容漢字案を出した。

政府国語機関の委員は、当初は学者ないし識者ばかりであったが、大正期から新聞社の代表がくわわるようになり、やがてこれが多数をしめた。新聞はつねに大急ぎでつくらねばならぬものである。現在はコンピューターを使って組版するから漢字がいくらあっても平気らしいが、戦前は植字工が一つ一つ活字を拾った。文字数(文字の種類)がすくないほどすばやく新聞をつくることができる。新聞は使用漢字の範囲をせまく限定することをつねに要求した。

2　国語改革とは何だったのか

昭和二十年の敗戦は、文部省と国語審議会とに、文字通り千載一遇の機会を提供した。

敗戦後の日本の一般的精神情況は、明治初年のそれにはなはだよく似ていた。あるいは、もっと徹底的であった。明治初年の日本人は、これまでの日本は無価値である、と考えたのだが、昭和の敗戦後の日本人は、これまでの日本はいっさいが邪悪でありまちがっていた、と思った。

ふたたび「新日本」ということばがしきりにとなえられた。「日本はすっかり白紙から出なおすのだ」という論調が全国をおおった。

戦争にやぶれたのは、軍事力、経済力の敗北であったのみでなく、文化の敗北なのだ、と識者たちは言った。さらにせんじつめれば言語と文字がおとっていたというのである。

敗戦の三か月後、昭和二十年十一月十二日の読売新聞（当時の紙名は「讀賣報知」）社説が「漢字を廢止せよ」と題して左のごとく論じたのは当時の気分を代表するものである。

　漢字を廢止するとき、われわれの脳中に存する封建意識の掃蕩が促進され、あのてきぱきしたアメリカ式能率にはじめて追随しうるのである。文化國家の建設も民主政治の確立も漢字の廢止と簡單な音標文字（ローマ字）の採用に基く國民知的水準の昂揚によつて促進されねばならぬ。

当時の読売新聞が極端な進歩主義の立場をとっていたことは『読売新聞百年史』に「左傾紙面」と題してくわしく記述してある。いま読売新聞の題号が横書きであるのはその時のなごりである。「横書き題字は独創的だったが、これは、当時、日本語のローマ字化論まででていたころで、多分にこうした風潮に影響されたものだった。題号にとどまらず本文まで横組みにしてみよう、との案もあったが、これは実現しなかった。横書き題字は、GHQも推奨し、いわば日本語改革の一端を示す意味があった」とある。

昭和二十一年四月、志賀直哉が『改造』に「國語問題」を発表してフランス語を国語にしてはどうかと提唱したことはよく知られる。志賀は、日本の国語ほど不完全で不便なものはない、これを解決せねば日本はほんとうの文化国にはなれない、とのべてこう書いている。

私は六十年前、森有禮が英語を國語に採用しようとした事を此戰爭中、度々想起した。若しそれが實現してゐたら、どうであつたらうと考へた。日本の文化が今よりも遙かに進んでゐたであらう事は想像出來る。そして、恐らく今度のやうな戰爭は起つてゐなかつたらうと思つた。吾々の學業も、もつと樂に進んでゐたらうし、學校生活も樂しいものに憶ひ返す事が出來たらうと、そんな事まで思つた。

そこで私は此際、日本は思ひ切つて世界中で一番いい言語、一番美しい言語をとつて、その儘、國語に採用してはどうかと考へてゐる。それにはフランス語が最もいいのではないかと思ふ。六十年前に森有禮が考へた事を今こそ實現してはどんなものであらう。不徹底な改革よりもこれは間違ひのない事である。森有禮の時代には實現は困難であつたらうが、今ならば、實現出來ない事ではない。

意見としてはばかばかしい、あるいはたわいないものだが、これも当時の日本の一般的な気分を知るにはよい材料である。

昭和二十一年三月にアメリカから教育使節団が来て日本政府に、漢字を廃止してローマ字を採用せよ、と勧告した。もっとも使節団は最初からそういう勧告をたずさえて来日したのではなく、彼らに接触した文部省の国語官僚や新聞の代表が使節団にうったえてそういう勧告を出してもらったのであるらしい。

日本の主要な都市はすべて焼かれて、かつて文部省に反対した知識人たちの多くはそれぞれ地方にのがれて孤立していた。いまや文部省に反対するまとまった勢力はどこにもなかった。

以下、漢字にかかわることのみを略述する。

敗戦直後の昭和二十年十一月、文部大臣が国語審議会に対して「標準漢字表」の再検討に関し諮問し、漢字主査委員会が設置された。

昭和十七年に国語審議会が文部大臣に答申した「標準漢字表」というものがある。「常用漢字」千百三十四字、「準常用漢字」千三百二十字、「特別漢字」七十四字、計二千五百二十八字よりなる（「特別漢字」というのは、「朕惟フニ」の朕、「天佑ヲ保有シ」の佑、綏靖天皇の綏、嵯峨天皇の嵯と峨など、天皇、皇室にかかわる字で「常用漢字」「準常用漢字」にはいってないもの）。この「常用漢字」をもとにして、公文書、教科書等で使用してよい漢字の範囲を定めようというのである。

いったい敗戦直後の大混乱の時期、何十万何百万の国民が家を焼かれて住むところなく、そこへまた戦地や外地から何十万何百万の人たちが引きあげてくる、食糧が決定的に不足して来年は百万をこえる餓死者が出るのではないかと言われている時に、なんでまた漢字を制限しようかなづかいを変えようというような、文化の根幹にかかわる、本来慎重の上にも慎重を期せねばならぬ問題を大あわてでとりあげねばならぬのか、と思うところだが、それが当時の風潮であった。上にも言ったように、とにかくいままでの日本は何もかも全部わるかった、まちがっていた、いっさいを変えて新しくして再出発だ、という気分がおおっていたから、ことばや文字だけでなく、学校制度などもただちに手がつけられたのであった。

占領軍もそれを支持した。アメリカは、日本人の毅力、精神的な底力やねばりづよさをまったく見あやまっていた。実際には日本人は、敗戦の一週間後には、廃墟となった銀座でガリ版ずりの粗末な英会話テキストが飛ぶように売れていた（これから日本に大挙上陸してくる米軍兵士と仲良くしようというのである）という、いたって尻の軽い国民なのだが、戦争の時に日本の兵士たちが頑強に戦ったものだから、これをおそろしくしぶとい人種と誤認し、二度と欧米列強に対して刃向わぬよう、その経済力も知力も伝統の力も、極力削いでおとなしい無力な国にしてしまおうとした。つまり、第一次大戦でボロボロにまけて、その二十年後にははやくも欧州第一の強国として復活し、またまた周辺の諸国に戦争をしかけたドイツみたいなことになっては困る、と考えたわけだ。何もそんなに力を削がないでも、ドイツ人とちがって日本人は、臥薪嘗胆力をたくわえてもう一ぺんアメリカにしかえしの戦争をふっかけるような、そんな根性のある国民ではないのに——。

そういう日本全体の気分、占領軍の支持、それに、従来答申を出してはそのたびにつぶされるという屈辱をなめてきた文部省国語官僚と、保科、松坂ら国語審議会の急進実力者たちの執念、それらがあいまって、敗戦直後のドサクサのなかで「こんどこそ」という国語改革のうごきがはじまったわけだ。

当用漢字

一年後の昭和二十一年十一月五日に「当用漢字表」千八百五十字を答申、同月十六日に内閣訓令および告示公布——内閣訓令第七号「当用漢字表の実施に関する件」、内閣告示第三十二号「当用漢字表」。いずれも内閣総理大臣吉田茂の名で出されている。訓令には「従来、わが国で用いられる漢字は、その数がはなはだ多く、その用いかたも複雑であるために、教育上また社会生活上、多くの不便があった。これを制限することは、国民の生活能率をあげ、文化水準を高める上に、資するところが少くない」と趣旨をのべてある。「制限」の語を用いていることに注意。同日これとあわせて、内閣訓令第八号「「現代かなづかい」の実施に関する件」および内閣告示第三十三号「現代かなづかい」も公布された。

従来ならば、答申が公表され社会一般の討議に付される（その結果として実施にいたらずつぶされる）のが例であったのだが、このたびは答申から内閣告示公布までわずか十一日、電光石火の早業であった。官庁の文書と学校教育はこれによらねばならぬこととなった。新聞はただちにこれにしたがった。政府機関と学校と新聞、この三つを制圧して、明治初め以来の大問題はあっけなく勝負がついてしまった。

この時の国語審議会委員は七十人いた。なかで主導的な役割をはたした人物が二人いる。一人は明治の国語調査委員会以来の最古参保科孝一である（明治五年うまれだからこの年七十五歳）。もう一人がカナモジカイ理事長松坂忠則（マツサカ・タダノリ）であった。明治三十五年秋田県のうまれ。高等小学校中退で少年のころよめない漢字が多く、漢字に対してふかいうらみをいだき、漢字撲滅のためカナモジ運動に投じた。声が大きく、押しがつよく、国語審議会でこの人が強く主張すると、たいていのことはそのとおりにきまった。

使用を許容する漢字の数は千八百五十字ときまった。どの字をこのわくに入れるかがなかなかの問題であった（一、二、人、手、山、川など最常用の字はだれがえらんでもはいるにきまっているが、最後の百字くらいがいつでも問題になる）。漢字の制限というのは、英語で言えば、使用してよい単語の数を三千か四千程度政府が法令でさだめ、それ以外の単語は使用を禁ずる、というようなものである。日本では文字がことばなのであるから、文字が使えなければことばが使えないのである。

委員の一人であった山本有三が、いったんはずされかかっていた「魅」の字を復活させたというエピソードはよく知られる。「み力」では意味がわからないから、「魅」の字がなくなれば事実上「魅力」ということばがなくなるわけである。それを山本は、「魅力ということばがなくなったら日本語の魅力がなくなるからね」というような半分冗談みたいな言いかたでうまく制限わくに入れもどしたらしい（その分ほかの字が何か一つ追い出されたわけだが）。

この作業を、松坂忠則はいつも嘲笑していた。どの字を入れようと、近い将来さらにそれをへらし、いずれは全廃にもってゆくのである。どの字がはいろうとはみ出そうと大差はない、早くやれ、と松坂は言った。ただ、千八百五十字より一字でも二字でもふやしたいと言う者があると、彼は「愚かもの」とどなりつけ、絶対に許さなかった。「わたしはほえたてた」と彼は書いている。

松坂忠則の要求

松坂忠則は、昭和十七年に『國字問題の本質』(弘文堂書房)という本を出している。

――またちょっと話が横道にそれますが、昭和十七年というのは戦争中である。アメリカを相手に大戦争をやっているまっさいちゅうに国字問題とは悠暢な、とお思いのかたがあるかもしれないが、そうではない。戦争中というのは、国語問題――というより日本語問題と言ったほうが適当だが――の論議がたいへんさかんな時期だったのである。

と言うのは当時、日本は、フィリピンだとか、マレー、シンガポールだとか、インドネシアだとか、南方のひろい地域を占領して、それを維持してゆくつもりであった。ついてはそれらの地域に日本語をひろめてゆかねばならぬ。それを当時「国語の進出」と言った。そして、その進出のためには日本語をもっとずっと簡易なものにしなければならぬ、東京の「京」も今日明日の「今日」もおなじ発音だのに今日のほうは「けふ」と書くようなことではむずかしすぎてあちらの人たちに学んでもらえない、といったような主張がつよくあったのである。

これに対しては、「やさしくしますから学んでください、というような卑屈な態度でどうするか。南方の人たちが学ぶかどうかを左右するのは日本語の難易ではない。日本の国力だ」という反対論もあった。無論このほうが正しい。英語は非常に不規則なむずかしいことばだが、それをちっとも簡易化しないでも、むかしから世界中の人が学んでいる。かつてのイギリス、その後のアメリカの、軍事力、経済力、政治力、つまり国力がつよいからである。いくら「むすこの son もお日さまの sun もおなじ発音だのに、片方は son、片方は sun と書かねばならぬというのはたしかにむずかしすぎますね。sun に統一しますから習ってくださいね」などと低姿勢で簡易化につとめたって、英米が弱い国だったらだれも英語を学ぼうとはしないにきまっている。知れきったことだが、まあそういうわけで、戦争中は国語論議がさかんだったのである。季節はずれの悠暢な談議、というわけでもなかったのだ。

そういうわけでこの松坂忠則の本にも、「それがどの程度に學ばれるか、百萬千萬の人間の手に行きわたるかは、日本語がいかなる文字づかいであるかによって決せられる。いま日本は、アジヤの先達たる使命をはたすうえからもまた、日本語の海外進出をヒッヨウとしている」「日本のカナが、あたかも西洋におけるローマ字のように、アジヤの國際文字として用いられる時代が、もうすでに、やって來ているのである」というようなくだりが散見する。

この『國字問題の本質』のおしまいに「政府當局に望む」と題する部分がある。政府に対する十項の要求をならべ、それぞれに説明をつけたものである。これと、昭和二十一年十一月の内閣訓令告示、およびその後の経過を見あわせると、昭和十七年当時においては夢想にちかいものであった松坂忠則の要求が、敗戦ののちにはほとんど実現していることにおどろく。敗戦が日本人にあたえたショックがいかに大きかったか、また敗戦直後からの審議の過程で松坂の影響力がいかにつよかったかを示すものである。

各条項の要求のところだけを左に列挙する。それにわたしのかんたんな説明をつけくわえる。

〈第一　政府は、國民常用の文字として漢字を用いない時代を、なるべく早く實現するとゆう目あてを明らかにしめすこと。そして、今後この目あてに向って一切のことがらを、おし進めてゆく……とゆう、大きなハタ印をかかげること。〉

松坂の主張で、戦後実現しなかったこともすこしはある。右の「ゆう」がその一つである。あとはたいてい実現したから、松坂の文章は現在の表記に非常にちかい。

〈第二　この目あてを、文化の受けつぎをさまたげることなしに實現するさし當りの方法として、「國定文字」を定めること。この中には、漢字を一千字以上二千字どまり入れる。さらにこれを、第一級と第二級に分ける。第一級は五百字、それ以外を第二級とすること。〉

この「国定文字」が戦後の「当用漢字」千八百五十字である。第一級は「教育漢字」にあたる。実際には八百八十一字になった。五百字というのはカナモジカイがえらんだ漢字の数で、これに「旗」がふくまれないから「ハタ印」と書いているのである。なお一般には「文化の継承」と言うところを、和語の連用形（その名詞的用法）によって「文化の受けつぎ」とするのはわたしも賛成。ただし漢字を使わず「文化のうけつぎ」としたいけれど。

〈第三　國民學校では、八年間に、この國定文字の中の第一級文字を書取りさせ、第二級は讀めるだけに教えること。〉

国民学校は、初等科六年、高等科二年。義務教育は初等科のみだが、中等学校にすすまないものはほぼ全員が高等科にすすんだので、事実上八年義務教育にちかくなっていた。

〈第四　全國の地名を國定文字のみに改めること。この際、たとい國定文字でも、特別な讀み方のものは改めること。（神戸、大分など）〉

これは実行されなかったが、市町村合併や新住居表示などで新しい地名をつくる際に規制力としてはたらいた。

〈第五　國民の名の字を、國定文字でなければ受けつけないこととする。〉

これはこのとおり実行された。ただし非常に評判がわるかったので、のちに「人名用漢字」が追加された。当用漢字は千八百五十字あると言っても、そのなかで名に使える字は知れたものだから、これは当然であった。死、殺、犯、罪などはもちろん、入、口、下、切などのやさしい字でも、子どもの名前に使う人はめったになかろう。

〈第六　ホウリツを國定文字に書き改めること。〉

これは現在も法改定のつどおこなわれている。

〈第七　學術用語を、各學界に改めさせる。〉

これは各学界で自主的におこなわれているようである。函数を関数に、両棲類を両生類になど。

〈第八　政府は、國定文字だけで自由に文章の書ける字引を發行する。〉

これは国語審議会の「同音の漢字による書き換え」で一部実現した。

〈第九　インサツ物を取りしまること。國定文字の以外は使わせない。〉

新聞が自主的に実行した。教科書や官庁の文書はもちろんである。災害の際の「り災証明」など。

〈第十　カンバンを、このインサツ物と同じに取りしまること。〉

これは無理である。文部省の役人が日本中の看板を見て歩いて、一字でも当用漢字外の字がふくまれていたら「とりはずせ」と命令するわけにはゆかない。

以上、第二から第十までの要求の大部分を、松坂忠則は戦後、政府をつうじて実現した。しからばこれら第二から第九までの個々の要求は何なのかと言えば、第一の、漢字を用いない時代を実現する、という大目的のための布石であり、道程なのである。

十項の要求を列挙したあと、松坂はこう書いている。

〈以上はすべて、すぐなすべきことである。これからユックリ案を作るなどと言ってもらいたくない。（…）どうせカリの物である。何も何百年さきまで使うとゆうのではない。バラックで十分である。早いことが大事だ。それに、どうせ、どのように決めたところで、どの文字をどれだけのネウチと見立てるかとゆうことは、結局は主觀の問題である。しいてハッキリ言えばどの漢字も常用文字としては、三文のネウチもない。この點をしっかりのみこんで手をつけるべきである。〉

当用漢字の選定作業を松坂が嘲笑していたというのがよくわかる。どうせカリの物であり、バラックなのである。

「結局は主觀の問題」というのは松坂の言うとおりである。当用漢字千八百五十字を決めた際、難航したというのは、どの字を必要と思うか不必要と思うかは主観の問題だからである。「犬」はよく使うから入れる、「猫」はあまり使わないからはずす、今後は「ネコ」と書く、「馬」はよく使うから入れる、「猿」はあまり使わないからはずす、今後は「サル」と書く……というふうにしてきめて行ったのだが、犬と猫の差、馬と猿の差をどれだけのものと見るかは個々の人の主観なのである。どの漢字にせよ「三文のネウチもない」というのも松坂の主観である。

時すでにおそく

昭和二十一年十一月の当用漢字のあと、同二十三年二月に「当用漢字別表」(いわゆる「教育漢字」)と「当用漢字音訓表」、同二十四年四月に「当用漢字字体表」が公示された。

教育漢字八百八十一字は義務教育の期間にならう(つまり教科書に出てくる)漢字をさだめたものである。

音訓表は許容される音訓をさだめたものである。たとえば、「魚」はギョとウオはみとめるがサカナはみとめない。「百」はヒャクはみとめるがオはみとめない。「生」はセイ、ショウ、イ、ウ、ナマ、キなどはみとめるがフはみとめない、「手」はシュとテはみとめるがズはみとめない、のようなものである。

ただしこれは、いちいち音訓表をしらべてみないと、使っていいのかダメなのかわからないから一般の人には無理である。厳密に守ったのは役所の文書と教科書くらいのもので、新聞等にも、「魚屋」や「八百屋」や「芝生」(しばふ)「上手」(じょうず)などの類は出ることがあった。

当用漢字字体表は、いわゆる戦後新字(略字)、すなわち現在日本でおこなわれている字体をさだめたものである（後述）。

当用漢字というのは、きわめて前向きなものであった。これからの日本人が、これからの生活や思想を文章に書く、ということだけを想定している。背後のことは考えていない。

たとえば、日本はもう軍隊を持たないのであるから、これからの日本人に軍曹や兵曹長などの「曹」の字はもはや不要である、と削除した。しかし実際には、戦後の日本人が、戦争中自分が兵士であった時の経験を書く、あるいは、戦争中の日本社会や軍隊について書く、ということはある。その際には「軍曹」という語も必要なのだが、そういうことは考慮に入れていない。この字が教科書や新聞にあらわれることはないし、もし当用漢字わくを守る場所（新聞等）に文章を書くとすれば「軍そう」などと書くほかないわけである。

そのように、日本人が背後をふりかえる、という事態は考えていない。敗戦後の日本の、過去はすべてまちがっていたのだからきれいに忘れて、未来だけを見て新しくやりなおそう、という気分は、当用漢字表にも色濃く反映しているのである。

戦後の国語改革――かなづかいの変更、字体の変更、漢字の制限――がもたらした最も重大な効果は、それ以後の日本人と、過去の日本人――その生活や文化や遺産――とのあいだの通路を切断したところにあった。それは国語改革にかかわった人たちのすべてが意識的にめざしたものではかならずしもなかった――かなり多くの国語審議会委員たちは、技術的なこと程度にしか考えていなかった――けれども、実際には、思いがけなかったほどの強い切断効果を生んだのであった。

戦災で地方に疎開していた人たちが都会にもどり、社会がある程度おちつき、そして知識人たちが、これはたいへんだ、と事態の重大さに気づいて、まとまって行動するようになったのは、国語改革がおこなわれてから十年以上たってからである。

官庁の文書と学校の教科書と新聞とがかわっても、昭和二十年代のあいだ、あるいは三十年代のはじめごろまでは、一般社会もそう急激にかわったわけではなかった。文芸家たちはたいてい従来どおりに書いていていたし、雑誌や書物もたいていは従来どおりの字体の活字でつくられていた（これには、印刷所がすっかり新字体の活字と入れかえるのに相当の期間を要した、といったような事情もあった）。

事態がはっきりして、ことの重大性が多くの人にわかってきたのはおおむね昭和三十年代になってからだった。知識人たちはある程度まとまって、国語改革に反対し、撤回を要求しはじめた。――この、まとまる、つまり組織をつくる、わるい言いかたをすれば徒党をくむ、集団的に行動する、ということが知識人たちは不得手であることも、対応がおくれた原因の一つだった。

しかしすでにおそかった。政府が、十年も前にきめたことを撤回するはずがなかったし、何千万人という子どもがそれで教育され、育ちつつあった（かりにある学年の日本中の子どもの数を二百万人とすると、ある年度――たとえば昭和二十五年度――に、日本中の義務教育の学校に在学する子どもの数は千八百万人である。つぎの年度にはまた二百万人がくわわり、そのつぎの年度にはまた二百万人くわわる。何千万人というのは誇張ではない）。

知識人たちの戦いは、涙がこぼれるほど悲惨なものだった。いかにその言うことが正しくても、論理的に文部省を打ち破っていても、日本の文化の継続にとって致命的であることを論証しても、何の効果もないのである。勝っても勝っても、敵に傷一つおわせることができない。事態をかえることができない。

日本人が、敗戦で正気を失い、それまでの日本は何もかもいっさいがわるかった、まちがっていたと思いこみ、足が地につかない状態で（それに占領軍の要求や支持もくわわって）きめてしまったことのうち、憲法や学校制度などは、またかえることも、ある程度もとにもどすこともできようが、国語改革だけはもはやいかんともしがたい。

中途半端なまま

しかし保科孝一や松坂忠則のもくろみは頓挫した。当用漢字は音標文字化（すなわち漢字全廃）という最終目標にむかう道筋の一里塚だったのだが、その一里塚のところで、中途半端なままとまってしまった。

これはたとえば、あの地名改変のようなものだ。地名をわかりやすく合理的に、と主張する人は戦前から数多くあった。戦後二十年ほどのあいだの町村合併や町名変更による新地名はその主張にそっておこなわれた。気がついてみると、日本中で何千何万という地名が消えうせていた。この段階になって、由緒ある地名を守ろう、と訴える組織があちこちにできて役所の暴挙に反対しはじめた。最初役所が地名征伐をはじめた時、これは困ったことだと思った人は数多くいたのだが、どうしていいかわからず、アッケにとられて役所のやることを見ていたのである。やっと組織を作って声をあげはじめた時には、すでにあまたの地名が消されていた。しかし反対の声が大きくなると、いったん失われた地名はもうもどらないが、地名征伐のいきおいはとまった。そうなると、かつて地名の簡易化、合理化を主張していた人たちは、いったいどこへ消えてしまったのかと思うくらい、姿を見せなくなった。

国語改革もこれと同様で、知識人たちが組織をつくって反対の声をあげ、撤回を要求しはじめると、撤回はしないが、進行はとまった。そうすると、漢字全廃、音標文字化を主張していた人たちは、ほとんど姿を見せなくなってしまった。かつて松坂忠則にひきいられていたカナモジカイは、いまもあることはあるが、非常に弱体化して、片手でかぞえるほどの人が何とかささえているらしい。社会的な影響力はゼロと言ってよい。ローマ字会も、あることはあるのだろうが、消息を聞かない。どっちにしても、戦略と、実現の見通しとをもって、本気で日本の文字を音標文字にかえる活動をやっているとは思えない。

しかし、いまはかくも気息奄々たる集団がかってあげた戦果は、ゆるぎもなく厳存して日本の教育を支配しつづけ、ほとんどの日本人が、ちょうどこれくらいがよい、と思っているのであるから、既成事実というものはおそろしい。おそらく地名についても、もうしばらくすれば、その地名の土地で生れ育った人たちが日本人の大部分をしめ、ちょうどこれくらいがよい、と思うようになるのであろう。

保科孝一は、一貫して事態のなりゆきを楽観したまま、国語改革反対の声が強くなるすこし前、昭和三十年に死んだ。将来の日本人を過去の日本人から切りはなしてしまった以上、多少時間はかかっても、音標文字化の方向にすすむことはまちがいない、と彼は確信していた。戦後の改革によってわれわれの勝利はさだまった、と彼は書いている。

国語審議会は以後も惰性的に存続したが、ごく微温的な、無力なものになった。前向きに、理想の実現に邁進する気力はない。そもそも国語審議会というのは本来、全面的音標文字化を推進するために政府がもうけた機関なのだということさえ、すっかり忘れ去られているかっこうである。さりとて戦後の改革を根本的に再検討するつもりもさらさらない（わたしは近年国語審議会委員になった人に「戦後改革の理念の破綻はあきらかなのだから根本的に見なおすつもりはないのですか」ときいてみたことがある。答は、「あれはあのかたたちがやったことなのだから、わたしたちがそれを見なおすとか見なおさないとかの問題ではない」ということであった）。ときどき若干の手なおしをする機関になった。たとえば、使用できる文字の範囲はかえないが、うまれた子どもにつける名前については、それ以外にこの範囲の文字なら許容しよう、といくつかの文字を追加する、といったふうな。

使用を許す文字の数も、その後五十年のあいだに、ほんのわずかだがふえた。主として、改革を最も強く支持した新聞が、この範囲では記事が書きにくい、と増加を要求したからである。国語審議会に松坂忠則ががんばっていたあいだは、文字の数をふやせば、かならずそれとおなじ数の文字をへらして総数がかわらないようにしていたが、松坂が昭和三十六年に退任してからは、ふやしてもその分をへらさなくなったので、総数がすこしふえたのである。

3　当用漢字の字体

こんにち一般におこなわれている漢字の印刷字体、すなわち教科書、新聞、雑誌、一般書籍などでもちいられている字体は、戦後文部省と国語審議会がさだめ、昭和二十四年に内閣が告示・訓令をもって公布した「当用漢字字体表」によっている。もっとも、内閣の告示・訓令が出たとたんに日本中の活字字体が一ぺんに全部かわったわけではない（それは技術的に無理である）から、もしみなさんが、昭和三十年代前半ごろまでに出た本や雑誌を見るならば、みなさんが知っている字体とかなりのちがいがあることに容易に気づかれるはずである。

いま例として、右の一段に出てきた文字のうちのいくつかについて、戦後字体とそれまでおこなわれていた正字体とをならべてみるなら左のごとくである（上が戦後新字体、下が正字）。

漢漢、体體、教敎、雑雜、戦戰、国國、会會、当當、来來、気氣……。

右のごとく、一目見てすぐわかるほどちがうのもあれば、よく見ないとわからぬのもある。よく見ないとわからない例をもうすこしあげれば、左のようなのがある。

都都、涙淚（点が一つ減少）、徳德、徴徵（棒が一本減少）、急急、掃掃（棒がみじかくなった）、習習、消消（画のむきをかえた）、毎每、憎憎（点二つを棒一本にかえた）等々。

これら戦後の新しい字体は何にもとづいてこうさだめたのであるかというと、筆写体にもとづいたのである。つまりそれまでの、ということは戦前の日本人が、日記、手紙、証文、その他種々の文書にしるす手書き文字で一般にもちいていた字体にもとづいている。

とは言っても、手書きの字は各人各様である。統一字体があるはずがない。むかしはことにそうであった。またそれをまんべんなく調査することは不可能である。たとえば戦前の日本では毎日数百万通の手紙が家族や知人にあてて書かれ郵送されていたが、それらは通常受取人一人によってよまれるだけであり、そこでもちいられている文字を点検することは政府といえども不可能である。筆写体にもとづいて印刷字体をつくったといっても、結局のところ、実際に参照され得たのは、新字体を考案した人たち自身、もしくはその周辺でおこなわれていた字体のみであろう。

もっとも、一般的な傾向はたしかにあった。

一つは、よくもちいられるが筆画の多い文字についてはたいていの人が略字を書いていた、そしてその略字はかなりの範囲で同一、あるいは類似だったということである。たとえば「體」を「体」と書くことはひろくおこなわれ昭和十年代には学校の教科書にも一部採用されていた。その他「醫」を「医」と書き、「聲」を「声」と書き、「變」を「変」と書くなども一般的であった。

また一つは、これは見やすいことをむねとする印刷字体と書きやすいことをむねとする筆写字との性格の相違に由来するのだが、印刷字体が概して直線で構成され、したがってまがる所は角ばって直角にまがり、点や線がはなれ、線の方向が外をむいているのに対して、手書き文字はまるみをおびた線で書かれ、点や線がつながって筆先が紙を離れないように書かれ、線の方向が内をむく（つぎの筆画にむかう方向にむく）。これらはすべて筆写の際の、筆先の経済、あるいは筆先の生理のゆえである。いちいち筆先を紙から持ちあげるより、つづけて先を書いたほうが早いから自然にそうなるのである。言うまでもなく活字にはそういう生理的要求はない。このことはアルファベットの印刷字体と筆写字体とをくらべてみればだれにもわかることである。aと*a*、bと*b*、dと*d*、fと*f*、kと*k*など。漢字のばあいは印刷字体が直線を基本とするのでこの相違がいっそう顕著である。できれば実物をお目にかけたい。もしわたしが教室で授業をしているのなら、黒板に筆写体の字を書いて見せるのはいともたやすいことなのだが、残念ながらここではそれができない。人の手紙か何か、手書きのものをごらんください。全体に線が曲線的で、直角にまがるところがまるくまがっているでしょう？　駐でも駅でも鶏でも鳩でも、四つ点（灬）のところが印刷字体でははっきり離れているが、手書き字ではたいていつながって波線状になっているか、あるいはただの横棒になっているでしょう？　そういうふうに、点と点が、あるいは点と線が、あるいは線と線が、筆写字ではつながる傾向がある。

筆画の外むきと内むきは、戦後略字以前から、印刷字体と筆写字（楷書であっても）との最もはっきりした相違である。曾、僧、尊、益、閲などの「八」は、筆写字では曽、僧、尊、益、閲などと「ソ」を書く。肖、消、鎖、などの「小」は、筆写字では「⺍」を書く。爪（ツメ）をふくむ字、彩、援、稲、爲、争などは「爫」を書く。要するに、印刷字体と筆写字体とは性格がちがうのである。

筆写字と印刷字

筆写字体と印刷字体とをおなじものにしようとしたのが戦後新略字であった（中国の簡体字も同様の考え）が、これがまちがいであった。

筆写体（手書き文字。おなじことです）は文章のなかの文字であり文脈でよまれるものであるから、他の文字に類似していてもかまわない。印刷字体は一つ一つが独立してその字でなければならない。手書きの字では筆先はなるべく紙をはなれまいとし、点や線はつながりやすいから、たとえば、「火」はしばしば「大」によく似た姿になる。しかし筆写字がそうであるからといって、印刷字体を筆写字に近づけて「火」の二つ点をつないだ字にする必要はない。

上にも言ったように、魚、馬、鳥、およびこれをふくむ鮮、駅、鳩などの四つ点は手書きではふつうつながる。だから中国の簡体字では、鱼、马、鸟等と四つ点部分を一にした。これを偏傍に持つ字ももちろんそうである。いまみなさんは、鱼、马、鸟などの字を見ると、なんだかヘンテコリンな、みっともない字だなあ、と思うでしょう？　対して「売」だの「伝」だの「毎」だのという字を見てもヘンテコリンだとは思わないでしょう？　でもおなじことなのです。みなさんは学校でそういう字を教わってこれが正しい字だと思いこんでいるからヘンテコリンだと思わないだけなのです。

東、棟、凍等の右部分は「東」である。練、煉、諫等は「柬」である。手書きでは点はつながるから練の右部分の二つ点はつながって「東」にちかくなる。であるからとて練は練に、煉は煉に、諫は諫にしたのもヘンテコリンなのである。のみならず文字の組織をみだしてしまったのである。

「母」の二つ点は手書き字ではつながる。毎、海、毒などの母部分もおなじである。そこで毎は毎に、海は海に、毒は毒にした。もっとも母を毋にしてはあんまり変だと思ったのか、母だけはもとのままである。これも文字の組織をみだしたのである。

手書き字では、字の一部分を符号で代替することがしばしばある。昔からそうであり、いまもそうである。符号としては、丶、メ、又、ミ、云、寸などがよくもちいられる。省略することもある。手書き字は文脈でよまれるから、部分が符号であっても、あるいは省略されていても、わかればそれでさしつかえないのである。省略というのは「米國」(戦後略字なら米国)を「米囗」と書き、「公園」を「公囗」と書くようなのである。あるいは点を一つ入れて「米囗丶」「公囗丶」と書くこともある。前後の関係で十分わかる。

この本には「漢字」という語がよく出てくる。わたしの原稿ではたいてい「汉字」と書いてある。「𦰩」の部分を「又」で代替してあるわけである。無論わたしは「漢」の字を知らないのではない。「漢」は画数が多いから「汉」にせよ、と主張しているのでもない。わたしの本では「漢字」と書かず「汉」の字をつくって「汉字」と印刷せよ、と要求しているのでもない。そんなことは当然だから印刷する人は「漢字」となおして打ってくれる。「區」を「区」と書いたり「轉」を「転」と書いたりするのも、これと同様の符号による代替だった。それが正式の字に昇格してしまったのである。

こうした「簡単な符号による部分代替」はむかしからひろくおこなわれていたし、いまもおこなわれている。筆写字は手早く書けることが生理的要求であり、何の字であるかが前後からわかればよいからである。

「品」を、なし、、、ミ、メなどで代替することもむかしから一般におこなわれている。右にあげた「区」もそうだし、ちかごろよく問題になる森鷗外の「鷗」もそうである。これは、この名が何度も出てくる文章を書くばあい、いちいちキチンと「鷗」を書く必要はなく、森鴎外でも森鷗外でも森鷗外でも森鷗外でもかまわない。前後関係でわかる（もちろん右がわの「鳥」もこんなにキチンと書くのではなく、もっと手早く書くのです）。たとえば「森鷗外」と書く人は、「鷗」の字体は「鴎」であるべきだと主張しているわけではない。印刷字体では「鷗」であることを十分承知でそう書いているのである。

以上かなりくどくのべたからたいていわかっていただけたと思うが、手書き字と印刷字とは別のものなのである。筆写字は、書きやすくて、前後関係でその字であることがわかればよい。

ところが戦後略字は（中国の簡体字もおなじだが）筆写字と印刷字とをおなじものにしようとした。それも印刷字のほうを変えて筆写字にあわせようとした。

かくして、たとえばおなじ「專」が、專は専になり、傳、轉は伝、転になり、團は団になって、縁が切れてしまった。実はこれらは「まるい」「まるい運動」という共通義を持った家族（ワードファミリー）なのである。あるいは、さきに言ったように假を仮にしたから暇や霞との縁が切れた。賣を売としたから買や販や購との縁が切れた。母と毎、海などの毋部分は別のもののようになった。氣の米も區の品もおなじメになった。廣の黄も佛の弗もおなじムになった。單の上部も榮の上部も學の上部もおなじ「⺍」になった。これらは、手書きの際の臨時の符号を恒久的な文字にしてしまったためのあやまりである。印刷字は活字をひろうなりキーボードをたたいて打ち出すなりするのだから、点が切れていても筆画が外へむかっていても、そのために手間がかかるということはない。そしてそのほうが見やすく、美しい。部分は符号ではなく正しい部分であるほうがよいのは言うまでもない。手で品の字を書くのは手間だから〆でもよい、つまり区、欧、殴、鴎等であってもよいが、印刷字体では、〆などという符号ではなく、區、歐、毆、鷗と、ちゃんと品がはいっているほうがよいにきまっているのである。

「拡張新字体」という不当

山田忠雄先生が言っておられるように、戦後の新字体づくりとその強制は一種のクーデターであった（『当用漢字の新字体』）。しかもこれは、この字体で今後ずっとやってゆこう、ということできめられたものではない。漢字全廃が実現するまで当分のあいだこれでゆこうという、ごく短期のことだけを考えた、まにあわせの粗雑なものである。

しかしいま、ちかい将来における漢字全廃を前提として文字のことを考えている人はまずないであろう。ならば、当用漢字字体（戦後略字）も、その目で見なおさなければならない。

いまや、ワープロやパソコンが普及して、文字は手で書くよりたたいて打ち出すほうが多いくらいになっている。打ち出すのであれば筆画が多かろうとすくなかろうと手間はおなじである。「海」を打ち出すのも「海」を打ち出すのもおなじであること言うまでもない。「独」と

「獨」も、打ち出すなら手間はおなじである。

しかるにコンピューター文字を考える人たちがみな、戦後略字を規範として考えているようであるのは認識不足である。

JIS漢字で「包摂」ということを言う。たとえば、社、德、突、靑、鄕、聖、漢、隆、賴、練、海等々の字が、JIS漢字にはすべてない。これらはそれぞれ、社、徳、突、青、郷、聖、漢、隆、頼、練、海に「包摂」されるというのである(画数の相違が二つ以下のものは無視するのだそうだ)。これではワープロやパソコンで、ついこのあいだまでの文学作品さえ正確に引用できない。

略字が正字を包摂するというのが本末顚倒である。もしどうしても包摂するのなら、正字を立ててそれに略字を包摂すればよい。いまは略字を正字として学校で教えているから略字を立てぬわけにはゆかない、というのなら正字と略字とをどちらも立てるがよい。

さらに最近は「拡張新字体」と称して常用漢字以外の文字についてまで新字体をつくることがおこなわれているが、これはいよいよ不当である。

「拡張新字体」というのは、戦後略字の方式を常用漢字外にまで拡張してつくった印刷字体である。上にあげた「鴎」がそうである。區が区になり毆が殴になったのだからそれにあわせて鷗も鴎にする。あるいは、龍が竜になったから籠も篭にするというのである(しかし襲を

「竜」と「衣」をかさねた字にするかというとそうはしない。襲は常用漢字内でこれは文部省がきめたものだから手を出さないのである)。国語審議会は平成十二年十二月に、この拡張新字体を「簡易慣用字体」と称して二十二字だけみとめることにした。本来国語審議会は常用漢字以外の字については一般に使用をみとめないのであるのに、みとめないものについて新略字をつくって使用することをみとめるというのは筋のとおらぬことである(二十二字は、唖、頴、鴎、撹、麹、鹸、噛、繍、蒋、醤、曽、掻、痩、祷、屏、并、桝、麺、沪、芦、蝋、弯)。

藝と芸、缺と欠

さきごろ日本文藝家協会が「漢字を救え!——文字コード問題を考えるシンポジウム」という会合を開いた。その際の江藤淳理事長のあいさつのなかに、「依然として旧字体をそのまま使っている台湾」とあった。これは、はなはだしい認識不足である。「依然として」と言い、「旧字体をそのまま」と言うと、まるで世界から見捨てられた廃物にしがみついているようではないか。

いったい「旧」とは、何に対して「旧」なのか。日本の戦後略字に対してか。それとも中華人民共和国の簡体字に対してか。それらは他人(日本の文部省、中華人民共和国の文字改革委員会)が勝手にやったことであって、台湾(中華民国)の人たちのあずかり知るところではない。台湾（中華民国）の人たちは、先人がもちいてきた文字をそのままもちいているだけである。「依然として旧字体をそのまま」と、あたかも立ちおくれみたいに言われる筋合いはない。日本人がむかしから日本列島に住み、今もひきつづき住んでいるからといって、「依然として旧国土にそのまま住んでいる日本人」と言う人があるであろうか。

理事長の発言は、たとえば、日本のたばこハイライトがその箱にhi liteと書いているからといって、英国でおなじ語をhigh lightと書いているのをさして、「依然として旧綴りをそのまま使っているイギリス人」と言うようなものである。認識不足のうえに失礼である。

戦後略字（当用漢字新字体）がおこなわれて五十年以上がすぎた。いまでは、新字体実施以前の書物も、そのほとんどが新字体に変えて刊行されている。古典文学作品や歴史資料もそうである。そのために不都合がおこっている。もともと新字体は、それ以後の人が文章を書く時に依拠すべきものとして制定されたものであって、それ以前の書物や文書のことは考慮のうちにはいっていない。ところが実際に学校教育が新字体のみでおこなわれると、その教育を受けた人は正体の字がよめない。すくなくともよみにくい。そこで営利を求める出版社は、「若い人たちにすこしでもよみやすいように」などとおためごかしの理由をつけて、過去の書物や文書を新字体に変えて刊行するのがごくふつうのことになってしまったのである。

その際最も不都合なのは、二つ（ないしそれ以上）の字をあわせて一つにした文字である。たとえば「芸亭」という語が出てきたとする。「芸」という字はもともとある。音はウン。意味は二つあり、一は一種の香草、一は「草をかる」の意の動詞である。芸閣《うんかく》や芸亭《うんてい》のばあいの芸は香草で、これはむかしの図書館である（芸香を虫よけにもちいるのでそう呼ぶ）。しかるに「藝」の字の略字を「芸」とした。そこでむかしの人名なり号なりに「藝亭」「藝軒」などというのがあれば「芸亭」「芸軒」になる。本来の芸亭や芸軒も無論「芸亭」「芸軒」である。どちらなのかわからない。

あるいは、「欠」という字はもともとある。音はケン。これも意は二つあり、一つは不足、もう一つは人が「のびをする」ことである（たとえば欠伸《けんしん》はあくびのこと）。ところが「缺」の略字を「欠」とした。つまり「欠」はケンでもありケツでもあることになった。「缺」は「決」とおなじで、ものの一部がかけることである（「決」は堤防の一部が水圧でかける。「缺」は缶つまり土器の一部がこわれてかける）。そうすると、戦後刊行の本に「欠典」という語が出てきたばあい、もともと「欠典」（ケンテン）なのかそれとも「缺典」（ケッテン）が略字で「欠典」になったものなのかわからない。

「余」と「餘」、「予」と「豫」、「台」と「臺」などもそうである。いずれももともと「余」「予」「台」があるところへ、それをまた「餘」「豫」「臺」の略字としたのである。現代の生活はそれでもよいが、むかしの書物では、いっしょにするのは不都合である。たとえば「余は」は「わたくしは」であり、「餘は」は「そのほかは」である。

三つ以上の字をあわせて一つにしたものに「弁」がある。「弁」という字はもともとある。そこへ「辨」も「辯」も「瓣」も「辮」も「辧」もみな「弁」にした。つまり古典を新略字になおした本では、どれもみな「弁」になる。こんにちの生活においてはこれらの字の多くは用がないが、むかしの本では使いわけられている（意味がちがうのだから使いわけてあるのは当然だ）。ところがそれを全部「弁」になおしてしまっては、もとのことばがわからなくなる。たとえば「弁言」は序文である（「弁」はかんむり）。「辯言」は口達者である。ところがこれも「弁言」に変えてしまうのである。

古典文学や歴史資料などを戦後字体に変えて本にするというのがそもそもまちがいなのだが、どうしてもやるなら、すくなくともこうした問題にだけでも注意し適切に処理しなければならぬのだが、それをやっていない。

文字は工業規格ではない

こんにちのごとく、多くの人が機械（ワープロ、パソコン、等々）を使って文章を書くようになると、人がどういう字を「書く」かをきめるのはその人の知識でも手でもなく、機械にあらかじめくみこまれている文字である。それを一手ににぎっているのがJIS（日本工業規格）である。たとえば人が「徳川幕府」と書きたいと思ってもJISには「徳」しかないのだから「徳川幕府」でがまんするほかない。西郷隆盛と書こうと思ってもJISには「郷」「隆」しかないから「西郷隆盛」と書くほかない。上に言ったごとく、徳、郷、隆は徳、郷、隆に「包摂」されている、とJISは言うのである。現在の機械の能力をもってすれば正字を入れることは容易なのだが、JISはそれを拒否しているのである。

東京大学の坂村健先生が、文字を「どこかでだれかが仕切るというのはよくない」「コンピュータの文字セットを決めているのが工業規格ではあまりではないでしょうか？　文化規格なのです。今や工業規格ではないのです」と言っていらっしゃる。まことにそのとおりである。

コンピューターの文字に関するかぎり、ガンはJISである。わたしは以前あるところにJIS漢字を批判する文章を書いたことがある。そうしたらJISから長い手紙が来た。その内容は、要するに「JISの規格票を精読もしないでJIS漢字に対して批判がましいことを言うな」というのである。「規格票」とは何か伝票かカードみたいな名前だが、いったい何なのだろう？「規格票も精読しないで」と言うからには、見たいと思えばだれでも見られるものかと思ったら、それがそうではなかった。わたしは人にたのんでやっとのことでコピーを一部手に入れた。伝票やカードどころか、電話帳のような部厚い大きな本である。無論JISが作ったもので、一種の内部文書――すくなくとも一般の人には容易に見る機会も、またその必要もないものである。まさしく「工業規格」で、文字に数字をあてて処理し、管理するための手引書だ。そういう、ＪＩＳの人ないしＪＩＳに近いところにいる人（経済産業省の工業規格関係の人など）でもなければ用のないものを、名前だけ持出して「規格票を見もしないでＪＩＳ漢字に対して文句を言うな」と言うのである。「日本の文字はおれたちが仕切るのだ」という傲慢まる出しだ。機械にくみこまれている文字はすべて、その一つ一つに長い数字があたえられており、その数字をつうじて画面上によび出されるようになっているのであるらしい。その数字をにぎっているからこわいもの知らずなのである。

しかし、文化としての文字をこんな連中にまかせておいてはならない。だいたいが工業技術者であるから、ことばや文字に見識があるわけでも愛情があるわけでもない。工業技術の対象としてしか見ない。拡張新字体をどんどんつくって番号をあたえ、正字を抹殺してしまったのがこの連中である。

文字は過去の日本人と現在の日本人とをつなぐものであるのだが、こうした人たちはそんなことはすこしも意に介しない。いま文字を使う人、それも官庁や会社の実務で使う人のことだけを念頭において文字を管理している。文化資産としての文字をＪＩＳの手から解き放つことが緊急の課題である。

4　新村出の痛憤

新村出博士の「國語問題の根本理念」という講話筆記がある。昭和十四年五月二十八日に京都国文学会で話したものである。明治三十年代の政府国語調査委員会の根本方針、およびその方針をみちびいた西洋言語学まるのみの思想を批判し、その思想と方針とをそのままうけついでいる昭和十年代の国語審議会の改革思想を批判し、言語表記における伝統主義、保守主義を主張し、しかしながら今後の日本語表記はかなを主とし漢字を従とすべきことを説いている。わたくしの深く共鳴するところであるので、以下にややくわしく御紹介申しあげよう。

当時、新村博士は国語審議会の委員であった。このころの国語審議会の委員というのは――その七年後に国語改革を強行した国語審議会もおなじことであるが――その人選がはなはだ当を得ていなかった。主として社会的な有力者――政治家、官僚、新聞社の幹部、あるいは小学校や中学校の校長など、国語問題に見識があるわけではなく、文部省の主張に賛同してくれそうな人が選ばれている。国語学者は一人もはいっていない（新村博士は言語学者である）。新村博士はこのはなはだかたよった国語審議会のなかでただ一人、全体の流れに対する反対者なのであるが、会議で反対意見をのべても孤立無援でだれも賛成してくれない。それで京都の国文学会で、国語審議会の内情を公開して、あわせて自分の考えをのべたのがこの講話である。まず委員の人選についてはこう語っている（以下引用のなかのカッコつきふりがなは原文にはなく、いまの読者のためにわたくしがつけたもの）。

實は國語審議會の人的組織がどうも偏《かたよ》つて居つて當を得てないやうに思ふ。(…)ところが段々國語問題の處理につきましても政治的工作が巧妙になつて參りまして、まあ三十五人ばかりの委員の顔觸れを見渡しまするると、過半は今日の社會を動かす最も強い勢力たる人々が多數を占めて居る。(…)斯の如く今日國語調査の事業と云ふものは、よく組織だつて參つたか如何《どう》かと云ふと、私はよく組織だつて參つたとは決して云ひ斷《き》れない。段々巧妙に政治的巧妙さを以つてよく組織されて來たと云ふだけに過ぎないのでありまます。

そして、その国語審議会がやろうとしていることは、その出発点からして、根本的にまちがっている。すなわち明治三十五年に国語調査委員会が、音標文字を採用する、という根本方針をきめて出発した、その根本がまちがっている。ことばを道具と考え、道具は簡単で便利なものであればよい、という考えで出発したのであるが、そうではない。新村博士はくりかえし

「伝統」と言う。たとえば、

……吾々の衣服とか飲食物とか云ふやうな物質的なものと同じやうに國語や國字を考へてはならないのであつて、どこまでもその傳統を一貫尊重し、千古の上から萬世の後までも此の傳統の根幹を傷つけてはならないものだと私は信じて疑はないのであります。多少の不便、――多少所でない、少からざる不便もありませうが此の不便は此の傳統を保存すると云ふ上に於て忍んで行かなければならぬと思ひます。傳統主義と合理主義との對立對峙と《ママ》があります場合、どちらを取らむと云ふことに迷つた時に於ては精神的である場合には決然として傳統の一路に向つて進まなければならないものではないかと考へるのであります。

この「伝統」ということばは誤解されやすいことばだが、このばあいは、「過去と将来を一貫する」「過去の日本人と将来の日本人とを切断しない」という意味である。それは決して、過去の日本が偉大だからではない。偉大であろうと卑小であろうと、われわれが立つところはそこしかないからである。われわれは空虚の上に立つことはできないのである。

一言すれば、抑《そもそ》も其の出發點が間違って居る。この假名遣の問題にしても國語の問題にしても之を一つの教育上の便宜問題、印刷上の便宜問題と云ふ風にのみ考へて出發したのであります。（…）併しながら日本の國民の將來の教養の爲に唯この簡易、簡便と云ふ主義で國語問題を處理すると云ふことは、國家百年の、否千年の大計を誤ることになりはしないかと云ふことが憂慮されるのであります。

これら國語問題の根本方針は、明治初期に於きまして舊物破壞、傳統破壞といふやうな主義の餘弊から出て居るものであって、明治の初年、卽ち十年代、二十年代の初め位までは相當其の必要もありましたでせうし、一應はさう云ふ態度に出ることも文化の歷史上の意味から諒としてもよいだらうと思はれます。卽ち種々の國語問題の根本精神の誤は明治三十年頃までに至る歐化主義全盛時代に育まれた思想の名殘であつて、それに捉はれてそれを脫却することの出來ない先進者或は吾々の後輩者が皆同一思想の餘弊を持つて居るものであります。

明治前半に、過去の日本をすべて否定し、全面的に西洋化しようとしたこと、そこから国語問題の根本的なまちがいがはじまっている。しかも当時の人たちは、文字というものを非常に安易に考えていた。この点につき、新村博士は、早く大正二年、すなわち明治が終ったつぎの年に左のようにのべていた（「國字の將來」）。

一般の言語乃至は日本の國語を取扱ふ人々でも、言語と思想との關係の密なるを知り、國語と國民性との因緣の深きを悟りながら、時には言語と文字との連結は極々疎な者であり、國語と國字との緣故は至つて淺い者だと思ひ過ごした事もあつたやうである。

ちょっと途中で切って説明をくわえます。西洋の科学を学んだ科学者や、工学を学んだ工学家が、文字というものを安易に考えただけではない。言語一般をとりあつかう人たちすなわち言語学者、日本語をとりあつかう人たちすなわち国語学者、これらはもとより西洋の学問を学んだ人たちであるのだが、この人々もまたしばしばそうであった。この人たちは、西洋の言語学を学んだのであるから、言語と思想とが切りはなすことのできない深い関係にあることは十分に知っている。――この「思想」というのは、「カントの思想」とか「ヘーゲルの思想」とかの特殊かつ高度の「思想」の意ではない。ふつうの人のものの考えかた、世界観、の意である。すなわち、一般に、地球上のある種族（たとえば日本人）の話す言語と、その種族に属する人々のものの見かた考えかたとは深い関係がある、ということである。フランス人のものの考えかたとフランス語とは深いかかわりがある、ドイツ人のものの考えかたとドイツ語とは切り離せない。これは言うまでもない当然のことだから、西洋の言語を学んだ者ならだれでもわかっている。国語と国民性の因縁の深きは当然である。それはわかっていながら、言語と文字とのかかわりについては、なんら必然的なものではなく、ごくごく疎なものであると考える傾向があった。これもまた当然であった。西洋の言語学は（特に明治の日本人が学んだロマン主義的言語学は）人類が話す言語はこれをきわめて重大視するが、文字については、これをただ言語のかげとみなしてすこしも問題にしなかった。

　一方の關係をば言語學上の所説に據りて非常に深密だと考へた餘りに、他方の關係を方《ママ》外に淺疎だと過信して、人身の衣服冠履の如く直に文字を言語から引離して、存外容易に脱ぎ更へさせる事が出來ると輕卒《ママ》に考へたらしい。（…）文字を單純な機械の樣に考へ、或は國字問題を其根柢たる他の重要なる問題から引離して定めようとした明治時代の舊夢は繰返したくないものである。

西洋の言語学は、言語を、種族の精神と深くかかわるものとして、きわめて重視する。反して、文字を軽視、あるいはほとんど無視する。実際西洋の言語においては文字のしめる位置はごく軽いものである。西洋の言語学は西洋の言語を研究対象としてうまれかつ発達したものであるから、西洋諸言語を標準として「言語における文字とはかかるものなり」と観念するのは当然である。明治の言語学は「日本語における文字もまたかかるものなり」と考えたのであった。しかしたびたび言うごとく、日本語においては、その語彙の過半をしめる字音語では、文字が語の本体であり裏づけである。そして日本語は、それら字音語を排除しては、現水準を維持し得ないのである。

西洋直輸入の明治の言語学にはそれがわからなかった。ゆえに文字を、かんたんに廃止ないしとりかえできるものと考えた。新村博士はそれを「明治時代の旧夢」と呼んでいるのである(さきにも言ったごとく新村がこう書いたのは大正二年の一月であって、「明治時代」と言っても、つい半年前までのことなのである)。

もとの「國語問題の根本理念」にもどる。

日本人が漢字をもちいて日本語を書きあらわしていることは、支那人が漢字をもちいているごとく理想的な状態ではない。しかしこれまでずっとこれでやってきた以上、しかたがないのである。

併しながらかう云ふ風に運命づけられて今日に至り、或る點に於ては我々はその辯護にも躊躇しませぬが、一般的に云ひますと決して是が最優良とは云へませぬ。併しながらかう云ふものが實際行はれて居る以上は我々は之を運命として甘受して、その範圍内に於て最もよい方法を考へなければならないと私は思ふのであります。

決して最優良のものではない。けれどもこれまでそれでやってきたのだからしかたがない。今後もそれでやってゆくほかない。その「運命の甘受」が、「伝統を守る」ということなのである。伝統はよいものだから伝統を守る、という、過去の讃美ではないのである。とは言え、過去の日本人は、聖人を崇拝し聖人の教えをのべた（と称する）支那思想を崇拝し、したがって漢籍を崇拝し漢字を崇拝した。純然たる日本語もみな漢字で書くをよしとした。これはあらためなければならない。

併しながら漢字、假名と云ふ二元的のもので主従とか、本副とか、或は主客の或は本末ともいふべきけぢめを置いて、假名を本位にして、漢字も相當に交ぜて使ふ所の假名本位の文體にして、假名交り若しくは漢字交りの文體といふものを本格的のものとして之を永久に守ってゆきたい。

漢字を主とする文体から、かなを本位とする文体にかえてゆくのがよい、というのが新村博士の考えである。かなこそ、日本人がつくり出した日本の文字であり、当然日本語に最もよくあうものだからである（したがってまた当然、漢語にはあわないのであるが）。ついては「假名」というこの名称を何か別のよびかたにしたい、と「國語運動と國語教育」ではのべている。

以前には、今も尚残るが、漢字を本字と呼び、假名を假字とも書いたやうな始末である。發生史的にいふと仕方がないが、今日は假名を國字と稱し――古くさう呼び、さう書いた學者もあつた――少くとも「假名」といふ文字を廢止し、又その稱呼をも改めたいと思つてゐる。有效な改字または改稱の方法がないものかと、常住思つてゐるが、名案がない。「國字《こくじ》」を從來の假名の稱にすべて代へてしまつても不都合であり、又コクジと音讀しないでカナと訓讀するやうにさせることも不可能であらう。名稱や文字が禍することもあらうが、精神は普通の文章では假名を主位本位にするやうにしたいと思ふ。又實際にも、成るべく假名を多く使ふ、宛字は成るべく避ける方針にする、といふ様にして進みたい。

わたしも、「假名」はよくないと思う。本来はまさしく「假名」（ほんとうでない字）の意で命名されたのであり、また実際一段価値のひくい文字とされたのであるから「假名」でいたしかたなかったのであるが、これこそが日本の字なのであるから、「假名」(「仮名」と書いても おなじこと)ではまずい。さりとて新村の言うごとく新名称をつけるのもむずかしいから、わたくしはかならずかなで「かな」と書くことにしている。

あて字をやめるべきであることは言うまでもない。本来、和語に漢字をあてること、すなわち「訓よみ」はすべてあて字なのであるが、「山」「水」「人」「家」のごとく、字もやさしく、またその意によってあてているものは、ながく習慣にもなっていることだからやむを得ない。特に「手」「目」「戸」「田」「根」「木」など一音のものはかながきするとまぎれやすいのでしかたがない。それ以外は極力、和語に漢字をあてるのはやめたほうがよい。右の新村の文で言えば「今も尚残る」は「いまもなほのこる」でよく、「仕方がない」は「しかたがない」でよく、「宛字は成るべく避ける」は「あて字はなるべくさける」でよいはずである。

新村博士の言う「假名を主位本位にする」とはどういうことか。

漢字は、支那語を書きあらわすためにできた支那字なのであるから、なるべく使わぬようにする。これが基本である。しかし漢字で書かねば意味の通じないことば——すなわち字音語——は漢字で書かねばならぬ。これも当然である。「こうえん」では意味をなさない。「公園」「公演」「後援」「講演」「高遠」等とかならず漢字で書かなければいけない。これをかながきしたり、あるいは「こう演」「後えん」などと半分かなにする(これを「まぜがき」と言う)のはバカげている——ただし、コーエンという音を持つ多くの語のうち、最もポピュラーな語である「公園」は「こうえん」と書くもよしとする。すなわち「こうえん」とかながきしてあればこれは「公園」のこととして、それ以外のコーエンは「公演」「後援」等と漢字で書くこととするようなやりかたはあり得るだろう。しかし漢字を制限して「講筵に列する」を「講えんに列する」と書くがごときはおろかなことである。

したがって、漢字を制限してはならない。字を制限するのは事実上語を制限することになり、日本語をまずしいものにするから——。制限するのではなく、なるべく使わないようにすべきなのである。たとえば、「止める」というような書きかたはしないほうがよい。これでは「やめる」なのか「とめる」なのかわからない。やめるは「やめる」と、とめるは「とめる」と書くべきである。あるいは、「その方がよい」では「そのほうがよい」のか「そのかたがよい」のかわからない。しかし「中止する」とか「方向」とかの語には「止」「方」の漢字がぜひとも必要なのであるから、これを制限してはならないのである。あるいは「気が付く」とか「友達」とかの書きかたをやめるべきなのである。ここに「付」の字をもちい「達」の字をもちいることに何の意味もない。こうした和語に漢字をもちいる必要はないのである。しかし「交付する」とか「達成する」とかの字音語は漢字で書かねばならない。すなわち「あて字はなるべくさける」というのは、和語にはなるべく漢字をもちいぬようにする、ということである。漢字はなるべく使わぬようにすべきであるが、それは、漢字を制限したり、字音語をかながきしたりすることであってはならぬのである。

終章　やっかいな重荷

西洋の言語学者は、言語は音声であり、文字はそのかげにすぎない、文字は言語にとって本質的なものではない、と言う。

これはもちろん正しい。人が口に音声を発し、それを耳に聞いて意味をとらえるのが言語の本質である。

人類は数万年前から言語をもちいてきた。そのながい歴史のなかで見れば、文字が発明されたのはごく最近のことである。また、地球上のすべての言語が文字を持つわけではない。文字を持つものはむしろ少数である。

それら文字をともなわぬ言語は十分にその役割をはたしたし、現にはたしつつある。文字なき言語は決して不備な言語ではない。すなわち、文字は言語にとって必然のものではない。

ひとり日本語のみが例外である。その語彙のなかば以上は、文字のうらづけなしには成り立たない。

もとより最初からそうであったのではない。漢語伝来以前数千年、あるいはそれ以上にわたって、日本語は、音声のみをもってその機能を十全にはたしていたはずである。文字のうらづけなしに成り立たなくなったのは、千数百年前に漢語とその文字がはいってからのち、特に、明治維新以後西洋の事物や観念を和製漢語に訳してとりいれ、これらの語が日本人の生活と思想の中枢部分をしめるようになって以来である。

現代の日本においては、ごく身近で具体的な物や、動作や形容には、本来の日本語（和語）がもちいられる（みちをあるく、やまはたかい、めをつぶる、いぬがほえる、あたまがいたい、ほしがでた、あめがふる、ゆきはつめたい、……）。これらはもちろん音声が意味をになっている。耳できいてわかる。文字のなかだちを必要としない。

しかし、やや高級な概念や明治以後の新事物には漢語がもちいられる（この数段に出てきた語をあげるならば、例外、語彙、文字、最初、漢語、伝来、以前、音声、機能、十全、維新、西洋、事物、観念、和製、生活、思想、中枢、部分、以来、現代、具体的、動作、形容、本来、高級、概念、以後、等々）。これらの語も無論音声を持っている。けれどもその音声は、文字をさししめす符牒であるにすぎない。語の意味は、さししめされた文字がになっている。たとえば「西洋」を、ひとしくセーヨーの音を持つ「静養」からわかつものは「西洋」の文字である。日本人の話（特にやや知的な内容の話）は、音声を手がかりに頭のなかにある文字をすばやく参照する、というプロセスをくりかえしながら進行する。

くりかえしのべてきたごとく、もとの漢語がそういう言語なのではない。漢語においては、個々の音が意味を持っている。それを日本語のなかへとりいれると、もはやそれらの音自体(セーとかケーとか、あるいはコーとかヨーとかの音自体)は何ら意味を持たず、いずれかの文字をさししめす符牒にすぎなくなるのである。

しかも日本語は音韻組織がかんたんであるため、漢語のことなる音が日本語ではおなじ音になり、したがって一つの音がさししめす文字が多くなる(たとえば日本語でショーの音を持つ字、小、少、庄、尚、昇、松、将、消、笑、唱、商、勝、焦、焼、証、象、照、詳、章、悄、掌、紹、訟、奨、等々。これらは漢語ではみなことなる音であり、音自体が意味をになっている。これらが日本語ではすべて「ショー」になるので、日本語の「ショー」はもはや特定の意味をつたえ得ない)。一つの語は通常二つの音(字音)のくみあわせでできているが、音の種類がすくないためにくみあわせの数がかぎられており、したがってそうやってできた語はほとんどのものが同音の語を持つことになり、その辨別は文字の参照にたよるほかないのである(たとえば、カ行とサ行のオ列長音というせまいくみあわせだけをとってみても、キョーコー、キョーショー、キョーソー、コーキョー、コーコー、コーショー、コーソー、ショーキョー、ショーコー、ショーショー、ショーソー、ソーキョー、ソーコー、ソーショー、ソーソーなどがあり、コーソーには高層、構想、抗争、後送、広壮などが、ソーコーには壮行、奏効、操行、草稿、装甲などがある。他も同様)。

日本の言語学者はよく、日本語はなんら特殊な言語ではない、ごくありふれた言語である、日本語に似た言語は地球上にいくらもある、と言う。しかしそれは、名詞の単数複数の別をしめさないとか、賓語のあとに動詞が位置するとかいった、語法上のことがらである。かれらは西洋でうまれた言語学の方法で日本語を分析するから、当然文字には着目しない。言語学が着目するのは、音韻と語法と意味である。

しかし、音声が無力であるためにことばが文字のうらづけをまたなければ意味を持ち得ない、という点に着目すれば、日本語は、世界でおそらくただ一つの、きわめて特殊な言語である。

音声が意味をにない得ない、というのは、もちろん、言語として健全なすがたではない。日本語は畸型的な言語である、と言わざるを得ない。

では、日本語は健全なすがたにかわり得るのであろうか。

日本語は畸型のままで成熟してしまった言語であるから、それは不可能である、とわたしは考える。

これをしいて完全に正常なからだにしようとすれば、日本語はきわめて幼稚なものになってしまう。ある程度正常にしようとすれば、その分だけ幼稚になる。

それはこういうことだ。

現在でも、ごく少数ではあるが、完全音標化を主張する人はあって、かなやローマ字で文章を書き、このとおり十分につうじるではないか、と言っている。しかしそれは、口頭の話とおなじことで、文章を書く人もそれをよむ人も、無意識裡に漢字を参照しているからつうずるのである。

たとえば、「ふるいでんとうのあるがっこうにはいった」がつうじるのは、よむ者が頭のなかで「伝統」を参照しているからであって、完全音標化すれば漢字はなくなりいずれはだれも知らなくなるのであるから、「ふるい電燈」との区別を保証するものはなにもない。日常生活上「デントー」は「電燈」のための音声としてのこるに相違ないから、「伝統」という語と概念は消えるほかない。同様に「カテー」は「家庭」の意の音声となり、「假定」や「過程」は消え去らざるを得ない。コーソーもソーコーもキョーコーもコーキョーも、最もポピュラーな一つだけをのこしてあとはなくなる。「コーソーのケンチク」がのこれば「コーソーなやしき」や「ロンブンのコーソー」は意をつうじがたくなり消滅する。きわめて幼稚なものになる、というのはそういうことである。

日本語、というこの畸型の成人を、正常なからだにするために、政府の執刀で手術をほどこそうとしたのが、明治初年以来の音標文字化運動であった。この手術によって、日本語は西洋諸語とおなじように、音声が言語の主体で、文字（かな、もしくはローマ字）は単なるそのかげにすぎないような、そういう言語にうまれかわる、と当時の人たちは考えた。ただし、一気にやるのは無理らしいことがだんだんわかってきたので、段階的にやることにし、その第一段階の大手術が、戦後の国語改革であった。これによって、この成人のすがたが西洋諸語にちかいものになったかどうかは疑問だが、力がおち、幼稚になったことはまちがいない。

音標化運動はそこで停止したままである。これ以上手術をくりかえして当初の目標をめざすのは不適当、むしろ危険であり、反対の声もつよいから、政府もためらっているうちに、運動をひっぱってきた単純で楽天的な音標文字主義者たちはみな死んでしまった。文部省と国語審議会は音標化運動の司令部ではなくなった。さりとてあの戦後の大手術の非をみとめようとは決してしないが——。

漢字は、日本語にとってやっかいな重荷である。それも、からだに癒着してしまった重荷である。もともと日本語の体質にはあわないのだから、いつまでたってもしっくりしない。しかし、この重荷を切除すれば日本語は幼児化する。へたをすれば死ぬ。

この、からだに癒着した重荷は、日本語に害をなすこと多かったが、しかし日本語は、これなしにはやってゆけないこともたしかである。腐れ縁である。——この「腐れ縁」ということばは、「くされ」が和語、「縁」が漢語で、これがくっついて一語になっている。日本語全体がちょうどこの「腐れ縁」ということばのように、和語と漢語との混合でできていて、その関係はまさしく「腐れ縁」なのである。

日本語は、畸型のまま生きてゆくよりほか生存の方法はない、というのがわたしの考えである。

あとがき

数年前のこと、国際交流基金という団体から、「日本における漢字の問題を、日本に関心を持つ外国の人たちに紹介する文章を書いてください」という注文をいただいた。原稿は日本語で書いてくだされればよい、それを英訳して雑誌にのせます、とのことである。

漢字を一字も使わないで漢字について書いてみるのもおもしろいんじゃないか、と思い、おひきうけした。英訳する人がとまどうようなことがあってはいけないので、文章は極力そのまま英語になるように書いた。術語ははじめから英語にしておいた。漢字はChinese characters、中古漢語はMiddle Chineseといったふうに。

原稿は注文枚数を大幅にこえるものになってしまったが、英訳者が適当にちぢめて訳してくれた。それでも長すぎてだいぶ御迷惑をおかけしたようだ。『Japanese Book News』に第二十三号（一九九八秋）、二十四号（同冬）、二十五号（一九九九春）と三期連続でのせてくださった。タイトルは「Chinese Characters and the Japanese Language」。

そのすこしあと、雑誌『This is 読売』にたのまれて、「字体について」という文章を書いた（一九九八年十二月号）。この題はおとなしすぎたのか、雑誌が送られてきたのを見たら「戦後国語改革の愚かさ」という題になっていたのでびっくりした。しかし内容はたしかにそのとおりであったにちがいない。

文藝春秋出版局の照井康夫さん——いつもわたしの『お言葉ですが…』単行本をつくってくれる編集者である——がこれを読んで「おもしろかった」とほめてくれたので、「こんなのもあるんだよ」と、国際交流基金のために書いた日本語原稿のコピーを見せた。ところがそれが、半年すぎてももどってこない。原稿は国際交流基金に送ったから、あとはこのコピーが一部あるだけなのである。なくしたんじゃあるまいか、と心配になり、「あの原稿返してよ」と電話した。すると、「あっ、そんなことがありましたね」という返事だ。これはいよいよいけない、と半分観念した。しかしさいわい照井さんは、机の上の書類の山の底からうまく見つけ出し、一通り読んで、「うむ、これはなかなか新鮮だ。新書にちょうどよかろう」と、おなじ出版局の、文春新書編集部の嶋津弘章さんにまわしてくれた（のだそうです）。——この嶋津さんも、文春新書にうつる前は『週刊文春』の随筆欄のデスクであったから、かねてよりの知りあいである。

嶋津さんは、このきたない原稿コピーをていねいによんでくださり、その上「おもしろい。

英語と類比しながら説明してあるのでわかりやすい。ふくらまして新書にしましょう」と言ってくださった。もともとの原稿が英語しか知らない人たちのために書いたものだから、英語との類比は当然のことであり、またそれしか手がなかったのだが、そのために話がわかりやすくなったというのはケガの功名のようなものであった。新書にしようというお話は、もとよりよろこんで承知した。

英米人むけに書いたものを日本人むけに手なおしして分量をふくらますだけだし、それにこんどは遠慮なく漢字をつかっていいんだから話がしやすい、作業はいたってかんたんだ、と思ったのだが、それがなんと一年以上もかかってしまった。

この間二度、嶋津さんはわたしの勉強べやへ泊りがけで来て、草稿にあまたの注文をつけた。その大部分は、「具体例をあげてください」と、「もっと説明してくれないとわかりません」である。一連の話の途中で突然「ここで○○について説明してください」と注文がつくこともある。泣く子と編集者には勝てないから、わたしは腹のなかで、「そんなにくどくど言わなくったってわかりそうなものだ」とか、「それじゃ話の流れが中断するじゃないか」とかブツクサ言いながら、例をならべたり説明をくわえたりする。

一番もめたのが、brother, sister であった。「日本語には brother, sister にあたることばがない」と言えば読者は、「なるほど、言われてみればたしかにそうだ。逆に、兄さん、姉さん、弟、妹が英語にはない」と思いあたるにきまっている、説明をつけくわえるのはかえって野暮だ、とわたしは言うのだが、嶋津さんは、「わかりません。わたしレベルの読者もいると思います」となかなかガンコである。やむなく説明をつけたが、以心伝心よりかえってややこしくなったかもしれない。

この本は、まあだいたいこんなあんばいでできたのである。

よんでいただけばわかるが、わたしの考えは、まず第一に、漢字と日本語とはあまりにも性質がちがうためにどうしてもしっくりしないのであるが、しかしこれでやってきたのであるからこれでやってゆくよりほかない、ということ、第二に、われわれのよって立つところは過去の日本しかないのだから、それが優秀であろうと不敏であろうと、とにかく過去の日本との通路を絶つようなことをしてはいけないのだということ、この二つである。

あとは、およみくださったみなさまの御判断をまつのみであります。

高島俊男（たかしま　としお）

1937年生れ、兵庫県相生出身。東京大学大学院修了。中国語学・中国文学専攻。著書に『李白と杜甫』、『水滸伝と日本人』（第5回大衆文学研究賞）、『三国志 きらめく群像』、『本が好き、悪口言うのはもっと好き』（第11回講談社エッセイ賞）、『漱石の夏やすみ』（第52回読売文学賞）、『メルヘン誕生』、『お言葉ですが…』シリーズ、『漢字雑談』など多数。

文春新書

198

漢字《かんじ》と日本人《にほんじん》

2001年（平成13年）10月20日　第1刷発行
2017年（平成29年）11月25日　第14刷発行

著　者　高　島　俊　男
発行者　木　俣　正　剛
発行所　株式会社　文　藝　春　秋

〒102-8008　東京都千代田区紀尾井町3-23
電話　(03) 3265-1211（代表）

印刷所　理　想　社
付物印刷　大　日　本　印　刷
製本所　大　口　製　本

定価はカバーに表示してあります。
万一、落丁・乱丁の場合は小社製作部宛お送り下さい。
送料小社負担でお取替え致します。

ISBN4-16-660198-9

◆日本の歴史

帝国陸軍の栄光と転落　別宮暖朗
帝国海軍の勝利と滅亡　別宮暖朗
指揮官の決断　早坂　隆
松井石根と南京事件の真実　早坂　隆
永田鉄山 昭和陸軍「運命の男」　早坂　隆
硫黄島 栗林中将の最期　梯　久美子
十七歳の硫黄島　秋草鶴次
評伝 若泉敬　森田吉彦
司馬遼太郎に日本人を学ぶ　森　史朗
「坂の上の雲」100人の名言　東谷　暁
徹底検証 日清・日露戦争　半藤一利・秦 郁彦・原 剛・松本健一・戸髙一成
よみがえる昭和天皇　辺見じゅん・保阪正康
日本型リーダーはなぜ失敗するのか　半藤一利
同時代も歴史である 一九七九年問題　坪内祐三
原発と原爆　有馬哲夫
児玉誉士夫 巨魁の昭和史　有馬哲夫
伊勢神宮と天皇の謎　武澤秀一
国境の日本史　武光　誠

西郷隆盛の首を発見した男　大野敏明
「昭和天皇実録」の謎を解く　半藤一利・保阪正康・御厨 貴・磯田道史
孫子が指揮する太平洋戦争　前原清隆
昭和史の論点　坂本多加雄・秦 郁彦・半藤一利・保阪正康
大人のための昭和史入門　半藤一利・船橋洋一・出口治明・水野和夫・佐藤 優・保阪正康他
日本人の歴史観　岡崎久彦・北岡伸一・坂本多加雄
新選組 粛清の組織論　菊地　明
21世紀の戦争論　半藤一利・佐藤　優
火山で読み解く古事記の謎　蒲池明弘

◆経済と企業

金融工学、こんなに面白い　野口悠紀雄
臆病者のための株入門　橘　玲
臆病者のための億万長者入門　橘　玲
売る力　鈴木敏文
安売り王一代　安田隆夫
熱湯経営　樋口武男
先の先を読め　樋口武男
明日のリーダーのために　葛西敬之
こんなリーダーになりたい　佐々木常夫
もし顔を見るのも嫌な人間が上司になったら　江上　剛
定年後の8万時間に挑む　加藤　仁
強欲資本主義 ウォール街の自爆　神谷秀樹
ゴールドマン・サックス研究　神谷秀樹
新自由主義の自滅　菊池英博
黒田日銀 最後の賭け　小野展克
日本経済の勝ち方 太陽エネルギー革命　村沢義久
石油の支配者　浜田和幸
石油の「埋蔵量」は誰が決めるのか？　岩瀬　昇
原油暴落の謎を解く　岩瀬　昇
エコノミストを格付けする　東谷　暁
就活って何だ　森　健
ぼくらの就活戦記　森　健
新・マネー敗戦　岩本沙弓
自分をデフレ化しない方法　勝間和代
JAL崩壊　日本航空・グループ2010
ユニクロ型デフレと国家破産　浜　矩子
新・国富論　浜　矩子
東電帝国 その失敗の本質　志村嘉一郎
出版大崩壊　山田　順
資産フライト　山田　順
脱ニッポン富国論　山田　順
税務署が隠したい増税の正体　山田　順
円安亡国　山田　順
通貨「円」の謎　竹森俊平
日本型モノづくりの敗北　湯之上　隆
松下幸之助の憂鬱　立石泰則
さよなら！ 僕らのソニー　立石泰則
君がいる場所、そこがソニーだ　立石泰則
日本人はなぜ株で損するのか？　藤原敬之
日本国はいくら借金できるのか？　川北隆雄
高橋是清と井上準之助　鈴木　隆
ビジネスパーソンのための契約の教科書　福井健策
ビジネスパーソンのための企業法務の教科書　西村あさひ法律事務所編
会社を危機から守る25の鉄則　西村あさひ法律事務所編
サイバー・テロ 日米vs.中国　土屋大洋
非情の常時リストラ　溝上憲文
ブラック企業　今野晴貴
ブラック企業2　今野晴貴
エコノミストには絶対分からないEU危機　広岡裕児
『ONE PIECE』と『相棒』でわかる！細野真宏の世界一わかりやすい投資講座　細野真宏
日本の会社40の弱点　小平達也
平成経済事件の怪物たち　森　功

税金 常識のウソ　神野直彦
アメリカは日本の消費税を許さない　岩本沙弓
税金を払わない巨大企業　富岡幸雄
トヨタ生産方式の逆襲　鈴村尚久
VWの失敗とエコカー戦争　香住 駿
朝日新聞 日本型組織の崩壊　朝日新聞記者有志
働く女子の運命　濱口桂一郎
無敵の仕事術　加藤 崇
「公益」資本主義　原 丈人
人工知能と経済の未来　井上智洋
お祈りメール来た、日本死ね　海老原嗣生
2040年全ビジネスモデル消滅　牧野知弘

◆世界の国と歴史

新・戦争論　池上 彰 佐藤 優
大世界史　池上 彰 佐藤 優
新・リーダー論　池上 彰 佐藤 優
二十世紀論　福田和也
歴史とはなにか　岡田英弘
新約聖書Ⅰ　新共同訳 佐藤 優解説
新約聖書Ⅱ　新共同訳 佐藤 優解説
ローマ人への20の質問　塩野七生
新・民族の世界地図　21世紀研究会編
地名の世界地図　21世紀研究会編
人名の世界地図　21世紀研究会編
常識の世界地図　21世紀研究会編
イスラームの世界地図　21世紀研究会編
食の世界地図　21世紀研究会編
武器の世界地図　21世紀研究会編
戦争の常識　鍛冶俊樹

フランス7つの謎　小田中直樹
ロシア 闇と魂の国家　亀山郁夫 佐藤 優
独裁者プーチン　名越健郎
イタリア人と日本人、どっちがバカ?　ファブリツィオ・グラッセッリ
イタリア「色悪党」列伝　ファブリツィオ・グラッセッリ
第一次世界大戦はなぜ始まったのか　別宮暖朗
イスラーム国の衝撃　池内 恵
グローバリズムが世界を滅ぼす　エマニュエル・トッド ハジュン・チャン他
「ドイツ帝国」が世界を破滅させる　エマニュエル・トッド 堀 茂樹訳
シャルリとは誰か?　エマニュエル・トッド 堀 茂樹訳
問題は英国ではない、EUなのだ　エマニュエル・トッド 堀 茂樹訳
世界最強の女帝 メルケルの謎　佐藤伸行
ドナルド・トランプ　佐藤伸行
日本の敵　宮家邦彦
「超」世界史・日本史　片山杜秀
戦争を始めるのは誰か　渡辺惣樹
オバマへの手紙　三山秀昭
熱狂する「神の国」アメリカ　松本佐保

(2017. 3) B

文春新書のロングセラー

中野信子
サイコパス
クールに犯罪を遂行し、しかも罪悪感はゼロ。そんな「あの人」の脳には隠された秘密があった。最新の脳科学が解き明かす禁断の事実
1094

岩波 明
発達障害
『逃げ恥』の津崎、『風立ちぬ』の堀越、そしてあの人はなぜ「他人の気持ちがわからない」のか？ 第一人者が症例と対策を講義する
1123

エドワード・ルトワック 奥山真司訳
戦争にチャンスを与えよ
「戦争は平和をもたらすためにある」「国連介入が戦争を長引かせる」といったリアルな戦略論で「トランプ」以後を読み解く
1120

近藤 誠
健康診断は受けてはいけない
職場で強制される健診。だが統計的に効果はなく、欧米には存在しない。むしろ過剰な医療介入を生み、寿命を縮めることを明かす
1117

佐藤愛子
それでもこの世は悪くなかった
ロクでもない人生でも、私は幸福だった。「自分でもワケのわからない」佐藤愛子ができ、幸福とは何かを悟るまで。初の語りおろし
1116

文藝春秋刊